그땐 잘 몰랐고 그래서 무모했고

또 그래서 더 아름다웠던 것 같아

Nell - 청춘연가

my trail name is... _____

He-Man
HIKE YOUR WAY

히맨

기록하는 하이커 히맨.

He-Man, PCT hiker.

https://brunch.co.kr/@he-man

발 행 ｜ 2018-01-23

저 자 ｜ 히맨

편 집 ｜ 히맨

디자인 ｜ 히맨

펴낸이 ｜ 한건희

펴낸곳 ｜ 주식회사 부크크

출판사등록 ｜ 2014.07.15(제2014-16호)

주 소 ｜ 경기도 부천시 원미구 춘의동 202 춘의테크노파크2단지 202동 1306호

전 화 ｜ 1670-8316

이메일 ｜ info@bookk.co.kr

ISBN ｜ 979-11-272-3162-0

본 책은 브런치 POD 출판물입니다.

https://brunch.co.kr

www.bookk.co.kr

PCT
하이커
되기

히맨 지음

기록하는 하이커, 히맨

Hiker, He-Man

미국 서부 Pacific Crest Trail 4300km 완주

2015년 4월 16일, 10시 40분

~2015년 10월 7일, 15시 07분

2017 KBS 대기획 다큐 〈순례〉 PCT 자문

트레비 〈융프라우에서 일주일 살아보기〉

일본 남알프스 원정

중국 신장 어드벤처 레이스 참가

〈하이커 트래쉬〉 전국 투어 강연 기획

〈하이커스 나이트〉 선상 강연 및 캠핑 기획

2016 브런치북 프로젝트#3 은상

거제 지맥 트레일 러닝 70km

월간 마운틴 〈PCT 하이커 되기〉 연재

EBS 하나뿐인 지구 〈길, 자연과 사람을 잇다〉 출연

2015 미국 서부 PCT 4300km 완주

2013 전국 대학 태권도 동아리 대회 밴텀급 8강

2012 대림산업 사우디 SHOAIBA II 복합화력발전소 현장

2011 국기기록원 서포터즈 우수상(2위)

2010 오지탐사대 티베트 Kyizi Peak(6206m) 등정

2008 해병대 제1수색대대 전역

나는 치열하게 걸었다.

4359.42km_{의 거리}

174일 4시간 27분_{의 시간}

31.36km_{의 평균 운행 거리}

24개_{의 보급상자}

22개_{의 마을과} 36일_{의 휴식}

43시간 27분 24초_{의 영상}

그리고 일기

·
·
·

2015년 4월 16일부터 2015년 10월 7일까지 퍼시픽 크레스트 트레일Pacific Crest Trail, PCT이라는 길을 걸었다. 미국의 멕시코 국경에서부터 캐나다까지 4300km를 걸어 미국을 종단하게 될 줄은 꿈에도 몰랐다. 천리 행군 때보다 더 긴 거리를 걸을 일은 평생 없을 줄 알았는데...

175일간 그 길을 걸으며 조금이나마 스스로를 이해할 수 있었다. 내가 걷는 이 길이 남들과 다를 뿐 결코 틀리지 않다는 걸 깨닫기도 했다.

PCT 첫 번째 목표는 완주. 그리고 두 번째는 기록을 남기는 것이었다. PCT 완주 후 2년이 넘는 시간동안 PCT 하이커 히맨의 걸음을 되돌아보고 또 되돌아봤다. 문득 매일 동네 카페에 온종일 앉아 마음 졸이며 이 긴 길을 걷기 위해 준비하던 때가 떠올랐다. 무엇이 필요한지도 몰랐다. 제안서를 통해 만난 자리에서의 내 모습은 그야말로 초라했다.

'그래서 뭘 도와주면 되죠?'

너무도 당연한 이 질문에 답을 하지도 못했다. 어떤 도움이 필요한지도 모른 채 도움을 청하던 나였다.(그저 돈이 필요하다고만 생각했다.)

'얼마나 간절한 마음으로 이 길을 꿈꾸고 있을까...'

한국에 돌아온 후 하나 둘 정리한 기록의 우선순위는 내가 아니었다. 다음 한국인 장거리 하이커들에게 도움이 되는 정보를 주고자 노력했다. 간절한 마음의 그들을 만나며 내 경험의 소중함을 깨달았고, 그들로 인해 포기하지 않을 수 있었다. 히맨의 첫 기록물인 〈PCT 하이커 되기〉는 그것에 대한 보답이기도 하다.

내용은 물론 편집부터 디자인까지 직접 진행했다. 많은 사람들에게 읽히기는 힘들 거라는 것을 안다. 다음 하이커들에게 조금이라도 더 가치 있게 읽혀진다면 그것만으로도 충분히 행복할 것 같다. 땀 흘려 쓴 이 소중한 걸음의 기록을 통해 있는 그대로의 히맨을 떠올릴 수 있다면 그 또한...

〈PCT 하이커 되기〉를 정리하며 목표가 하나 생겼다.

「내 기록을 통해 길에 선 하이커들이
길을 걸으며 나를 한 번이라도 떠올리는 것!」

이 기록은 그것을 위해 존재한다 해도 과언이 아니다.
PCT를 꿈꾸는 많은 이들에게 첫 번째 트레일 매직이 되길 바라며...

2018년 1월 4일 16시 17분
기록하는 하이커, 히맨.

나는 자주 길을 잃었다.

길을 잃었을 때 가장 먼저 하는 일은

먼저 간 사람의 발자국을 찾는 것이었다.

PCT →

■ PCT 하이커 되기

퍼시픽 크레스트 트레일에 대한 소개와 PCT 하이커가 되기 위해 필요한 준비과정을 소개한다. 또한 히맨이 PCT를 준비하고 걸으며 얻은 경험을 바탕으로 조금 더 효율적인 방법을 제시한다.

· 시작하기 전에 · · ·

〈PCT 하이커 되기〉는 본문에 많은 링크 정보를 포함하고 있다. 링크가 있는 제목 및 키워드는 파랑색이며 밑줄 처리가 되어 있다. 또한 구분 기호(**)로 링크가 있음을 표기한다. 해당 링크들을 모아서 쉽게 접근할 수 있는 링크리스트를 만들었다. 아래의 QR코드 혹은 주소입력을 통해 링크리스트에 접속할 수 있다.

PCT에 대한 잘못된 정보나 오기 등이 있을 경우, 혹은 PCT 관련 문의가 있다면 언제든 링크리스트를 통해 히맨에게 연락할 수 있다. 가슴이 뛰는 멋진 아이디어나 제안 역시 환영한다.

> ex) • PCT의 역사 history **
> ex) • 아이딜와일드 홈페이지**

- 〈PCT 하이커 되기〉
  링크 리스트 살펴보기
- PCT 문의 및 제안하기
  http://bitly.kr/PCThiker

0. 퍼시픽 크레스트 트레일

0.1. 퍼시픽 크레스트 트레일Pacific Crest Trail

퍼시픽 크레스트 트레일PCT은 미국 서부에 위치한 4,265km2,650mile 의 장거리 트레일Trail이다. 애팔래치아 트레일Appalachian Trail, AT, 콘티넨탈 디바이드 트레일Continental Divide Trail, CDT과 함께 미국의 3대 장거리 트레일 중 하나이다. 1926년 캐서린 몽고메리Catherine Montgomery가 제안한 국경 간 트레일 아이디어를 클린턴 C. 클라크Clinton C. Clarke가 실행에 옮기면서부터 PCT의 역사가 시작된다.

현재 PCT는 미국 내의 멕시코 국경에서 시작되어 캐나다 국경을 넘어 캐나다 BC주의 매닝 파크Manning Park에서 그 길이 끝난다. 캘리포니아, 오리건, 워싱턴 3개의 주를 관통하며 사막, 호수, 협곡 등의 환경에서 다양한 자연경관을 마주할 수 있다. 셰릴 스트레이드의 저서 〈와일드Wild〉의 배경으로 PCT가 널리 알려지기 시작했고, 2014년 말 동명의 영화가 개봉하면서 여러 나라에서 PCT를 찾는 하이커들이 점점 늘어나고 있다. 상세한 소개와 정보는 1977년 설립된 <u>PCT협회PCTA**</u>에서 확인할 수 있다.

• <u>PCT 의 역사 history</u> **

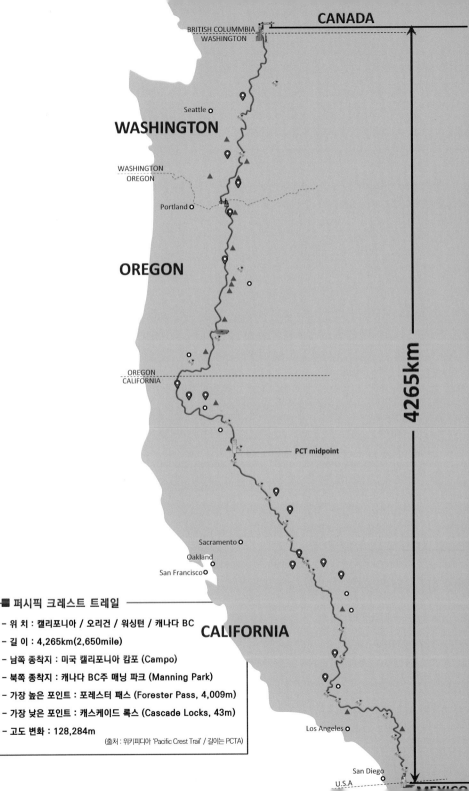

CANADA

BRITISH COLUMMBIA
WASHINGTON

Seattle

WASHINGTON

WASHINGTON
OREGON

Portland

OREGON

4265km

OREGON
CALIFORNIA

PCT midpoint

Sacramento

Oakland

San Francisco

CALIFORNIA

Los Angeles

San Diego

U.S.A

MEXICO

■ 퍼시픽 크레스트 트레일

- 위 치 : 캘리포니아 / 오리건 / 워싱턴 / 캐나다 BC

- 길 이 : 4,265km(2,650mile)

- 남쪽 종착지 : 미국 캘리포니아 캄포 (Campo)

- 북쪽 종착지 : 캐나다 BC주 매닝 파크 (Manning Park)

- 가장 높은 포인트 : 포레스터 패스 (Forester Pass, 4,009m)

- 가장 낮은 포인트 : 캐스케이드 록스 (Cascade Locks, 43m)

- 고도 변화 : 128,284m

(출처 : 위키피디아 'Pacific Crest Trail' / 길이는 PCTA)

0.2. 한국인 PCT 하이커

히맨이 아는 한 2015년은 한국인이 PCT에 도전하여 완주한 첫 해이다. PCT를 준비하면서 단 한 번도 한국인 PCT 완주자에 대한 공식적인 기록을 찾을 수 없었다. 완주한 재미 한국인이 있다는 이야기만을 들었을 뿐이다.*

히맨(김희남 He-Man)은 양희종 Spontaneous 과 함께 완주에 성공했고, 윤은중 Thermometer, 김광수 Cool K 까지 총 4명의 한국인 PCT 완주자가 탄생했다. 또한 미국에 거주중인 김기준 June Kim 은 히맨과 반대방향으로 PCT를 완주했다.

2016년에는 더 많은 한국인 하이커들이 PCT를 찾았고, CDT에 처음 도전한 한국인 하이커들을 포함하여 약 15명의 장거리 하이커들이 탄생했다. 2016년 한국 청소년 오지탐사대 Korea Youth Expedition PCT 팀은 오리건 구간의 마지막 540km를 걷고 돌아오기도 했다. 폭설로 많은 사고가 있었던 2017년에도 한국인 하이커들은 무사히 자신의 길을 마무리하고 돌아왔다.

하이커들은 길 위에서 다양한 만남과 경험을 통해 자신만의 길을 발견한다. 하나의 PCT를 걷지만 하이커들은 모두 다른 PCT를 경험한다. 자신만의 길을 걷고 돌아온 한국인 하이커들의 사진과 글을 통해 조금 더 다양한 색깔의 PCT를 느낄 수 있다. 앞으로 더 많은 한국인 장거리 하이커들이 생겨나기를 바라본다.

---

* 최초의 한국인 PCT 하이커에 대해 알고 있다면 꼭 제보바랍니다.

0.3. PCT를 걷는 방법

PCT를 걷는 방법은 대게 걷는 방향에 따라 밑에서 위로 걷는 NOBO_{Northbound}와 위에서 아래로 걷는 SOBO_{Southbound} 두 가지로 구분된다. 매년 PCT 하이커들의 90% 이상이 NOBO를 택하는데, SOBO 보다 트레일 상태나 기상여건이 오랜 기간 걷기에 훨씬 유리하기 때문이다. 또한 트레일 엔젤과 같은 자원봉사자 일정이나 주요 보급지들의 운영 일정이 대부분 NOBO 하이커들에게 맞추어져 있다. 때문에 많은 PCT 하이커들이 4월에 멕시코 국경에서 출발하여 북쪽으로 걷는다.

남쪽으로 향하는 하이커들은 대게 PCT에서 가장 북쪽에 위치한 보급지인 하츠 패스_{Harts Pass}로 진입하여 출발한다. 캐나다에서 PCT로 진입하여 국경을 넘어 가는 것은 법적으로 불가능하기 때문이다. 출발은 대게 6월 중에 하는데, 9월 말이나 늦어도 10월 초에는 케네디 메도우즈_{Southern Kennedy Meadows}에 도착할 수 있도록 해야 한다. 그렇지 않을 경우 눈 덮인 시에라_{Sierra} 구간에서 위험할 수 있다.

꼭 시기를 맞추어 걸을 필요는 없지만 선택에 따른 책임은 모두 하이커 본인의 몫이다. 2014년 10월에 캐나다 국경에서 출발하여 2015년 3월까지 131일 만에 동계종주에 성공한 두 명의 하이커가 주목 받았다. 이는 PCT 역사상 최초의 동계 종주 성공 기록이었다. 그만큼 PCT 동계 종주에는 많은 위험이 따르며, 풍부한 경험과 기술을 필요로 한다.

PCT는 미국 서부 시골여행이라고 할 수 있을 정도로 아기자기하고 개성 있는 수많은 마을들을 지난다. 일부 구간을 걷는 구간 하이킹_{PCT section hiking}과, 이곳저곳을 옮겨 다니며 원하는 구간을 골라 걷는 플립플롭_{flip-flop hiker} 하이킹도 PCT의 매력을 느낄 수 있는 한 방법이다.

0.4. 길 위의 사람들 그리고 매직

 길을 걷다보면 자신만의 방법으로 PCT를 즐기는 개성 있는 많은 PCT 하이커들을 만날 수 있다. 어떤 하이커는 사진을 찍고 어떤 하이커는 그림을 그리고 악기를 연주하기도 한다. 또 자신의 반려동물과 함께 길을 걷기도 한다. 걷는 속도와 일정이 맞는 하이커들은 중간에 함께 걷기도 하고 같은 자리에 모여 텐트촌을 형성하기도 한다. 장작불에 모여 몸을 녹이며 즐겁게 대화를 나누다가도 다음날이면 다시 각자의 길을 걷는다. 수많은 만남과 헤어짐이 반복된다.

 또한 PCT 엔젤_{PCT angel}이라 불리는 PCT 자원봉사자들의 위대한 트레일 매직_{trail magic}을 경험할 수 있다. 사막 한가운데 얼음과 음료로 가득한 아이스박스가 나타나기도 하고, 집으로 초대받아 식사를 대접받을 수도 있다. 다양한 사람들을 만나며 일어나는 마법과도 같은 유쾌한 이벤트들은, 장거리 하이킹이 극한의 도전이라기보다 하나의 삶의 방식이자 문화라는 생각을 가지게 했다.

사막의 끝에서 만날 수 있는 케네디 메도우즈.
이곳에서 많은 하이커들이 뜨거운 더위를 이겨낸 것을 자축한다.

1. PCT 행정

1.1. PCT 퍼밋 permit

  PCT 퍼밋은 한마디로 PCT를 걸어도 좋다는 일종의 '허가증'이다. PCT에서 800km500mile 미만의 하이킹을 계획하고 있다면 굳이 PCT 퍼밋이 필요하진 않지만, 대신 걷는 코스에 따라 해당 국립공원에서 따로 퍼밋을 받아야 한다. 하지만 800km 이상의 하이킹을 계획하고 있다면 PCT 장거리 퍼밋이 필요하다. 이 퍼밋 하나면 PCT의 모든 길을 걸을 수 있는 자격이 주어진다.(단, 일부 별도의 퍼밋이 필요한 구간이 있다.) 퍼밋 발급 비용은 무료이며 PCT 협회에 기부를 선택할 수 있다.

  2016년부터 별도의 휘트니 특별 추가 퍼밋Whitney special add on permit이 새롭게 생겼다. 21달러의 수수료가 있는 이 퍼밋은 기존 PCT 퍼밋으로는 접근이 불가능한 휘트니 포털Whitney Portal로의 이동을 가능하게 한다. 해당 퍼밋 소지자는 PCT를 벗어난 후 48시간 이내에 PCT에 돌아와야 한다.

1.1.1. PCT 장거리 퍼밋 신청 일정

PCT 협회 PCTA 에서는 2015 년부터 하루 50 명으로 퍼밋 발급을 제한하기 시작했다. 따라서 퍼밋 발급 신청 일정을 사전에 숙지하여 늦지 않게 신청하기 바란다. 2016 년부터 멕시코 국경에서 출발하는 NOBO 하이커들에 한해 1 차 35 명, 2 차 15 명으로 나누어 퍼밋 신청 접수를 받기 시작했다. 2018 년 PCT 장거리 퍼밋 신청 일정은 아래와 같이 진행되었다.

★ 2018 PCT 장거리 퍼밋 신청 오픈 일정

1. 북쪽으로 향하는 하이커 NOBO

Starting at or near the Mexican border (both thru-hikers and section hikers)

■ **1 차 퍼밋 신청 : 2017/11/2 02:30** November 1 at 10:30 a.m. PT

각 출발일 하루 당 35 명까지 퍼밋 신청을 받는다.

■ **2 차 퍼밋 신청 : 2018/1/18 03:30** January 17 at 10:30 a.m. PT

각 출발일 하루 당 15 명의 퍼밋 신청을 받는다.

2. 남쪽으로 향하는 하이커와 섹션 하이커 SOBO

Starting elsewhere Southbound thru-hikers and other section hike itineraries

■ **퍼밋 신청 : 2018/1/18 03:30** January 17 at 10:30 a.m. PT

*한국 시각미국 현지 시각

PCT 협회(PCTA)의 PCT 장거리 퍼밋 안내 페이지

1.1.2. PCT 장거리 퍼밋 신청방법

(1) PCT 협회 홈페이지에서 신청

　이름, 생일, 주소, 출발지, 도착지, 출발 및 종료일 등의 기본 정보를 입력한다. 이후 휘트니 특별 추가 퍼밋 신청여부를 결정한다. 달력 형태의 인터페이스 등 신청 시스템이 잘 갖추어져 있어 큰 어려움 없이 신청이 가능하다. 일단 출발일을 선택하면 13분 동안 해당 날짜의 한 자리를 선점할 수 있게 된다. 따라서 13분의 시간동안 남은 퍼밋 신청 절차를 완료하면 된다.

- PCT협회 홈페이지에서 신청[**]

(2) PCT 퍼밋 관리 페이지 확인

- 이메일로 직접 승인된 퍼밋을 발송해주던 이전과 달리 2018년 PCT 퍼밋은 홈페이지의 <u>퍼밋 관리 페이지</u> Manage Permit Application **를 통해 다운로드 받는 방식으로 변경되었다. 퍼밋 신청서를 제출하면 즉시 퍼밋 신청 접수 확인 이메일을 받게 되며 해당 이메일을 통해 본인의 퍼밋 관리 페이지로 이동할 수 있다.

- 퍼밋 관리 페이지에서 본인의 퍼밋 신청 처리 과정을 조회할 수 있으며, 검토 대기중 it's still pending review/승인 완료 approved/다운로드 준비 중 ready for download 등의 상태로 확인 할 수 있다. 안내에 따르면 신청서 접수 후 1 ~ 3주 이내에 신청서 검토 및 퍼밋 승인이 완료된다.

- 1차 신청 기간 동안 제출된 퍼밋 신청서는 승인이 나더라도 2018년 1월 18일(미국 현지 시각)까지는 퍼밋을 발급 받을 수 없다. 퍼밋 관리 페이지에서 퍼밋 신청 결과가 '승인 및 발급 대기 중 approved and peding delivery'으로 되어 있다면 퍼밋 발급이 확정된 것이므로 안심해도 좋다.

(3) PCT 장거리 퍼밋 수령

- 퍼밋 신청서가 발급 처리되면 이메일을 통해 퍼밋을 다운로드 받으라고 알려준다. 퍼밋 관리 페이지로 이동하여 본인의 퍼밋을 다운로드 받으면 된다.

- 퍼밋은 꼭 출력하여 하이킹 시 항상 소지하고 다녀야 한다. 디지털 버전 (PDF 파일, 캡처 이미지 등)은 허용되지 않는다.

퍼밋 관리 페이지

1.1.3. 히맨의 한마디

- 퍼밋 신청 시 입력한 정보에 오류가 있을 경우 신청이 취소되거나 승인이 연기될 수 있다. 대·소문자를 구별하여 정확히 입력하지 않으면 제대로 진행되지 않는 경우가 있으니 유의할 것. 또한 두 번 이상 중복 신청하면 모든 퍼밋 신청이 취소될 수 있다. 적지 않은 예비 하이커들이 제대로 신청이 된 것인지 불안한 마음에 중복 신청을 하는 경우가 있는데 이 점 또한 유의하기 바란다.(퍼밋 관리 페이지를 확인할 것!)

- 기존 PCT 퍼밋으로도 미국 본토 최고봉인 휘트니 산Mt. Whitney 산에

오르는 데 아무런 지장이 없다. 다만 효율적인 운행과 보급을 생각한다면 휘트니 특별추가 퍼밋을 고려해볼만 하다. 케네디 메도우즈Kennedy Meadows 이후로 많이 들르는 보급지인 인디펜던스Independence와 비숍Bishop은 분명 매력적인 마을이지만 그곳으로 향하는 길은 결코 짧지 않다.

- 하루 50명으로 퍼밋 발급을 제한하는 목적은 트레일 환경 보존과 하이커들이 조금 더 PCT에 집중할 수 있도록 하기 위함이다. 퍼밋에 입력한 출발일을 지키는 일이 쉽지 않을 수 있다. 하지만 보다 나은 장거리 하이킹 문화를 위해 이를 지킬 것을 권한다. 출발일자에 맞춰 출발하면 당신의 PCT 퍼밋은 더욱 의미 있는 기록이 될 것이다.

- 히맨이 PCT 퍼밋을 검사받은 때는 전체 기간 중 딱 한 번뿐이었다. 존 뮤어 트레일John Muir Trail, JMT 구간에서 우연히 마주친 레인저에게 곰통Bear Canister과 PCT 퍼밋의 유무를 검사 받았다. 신분증도 함께 보여줘야 하는 경우도 있으니 참고할 것.

PCT Long-distance Permit

You must have a paper copy of this permit in your possession and available upon request.

Permit ID: 54d2cf783dbb5	Start date: 2015-04-16
Permit issue date: 2015-02-10	End date: 2015-10-01
Name: HEENAM KIM	Start location: Mexican border
Address: 312▪▪ ▪ ▪ ▪ ▪	End location: Canadian border
City and State: Seoul, ▪▪ ▪ ▪ ▪	Method of travel: foot or horseback only
Zip/Postal code: ▪▪ ▪	Number in party: 1
Country: Korea, Republic Of	Number of stock: 0

히맨의 2015 PCT 퍼밋

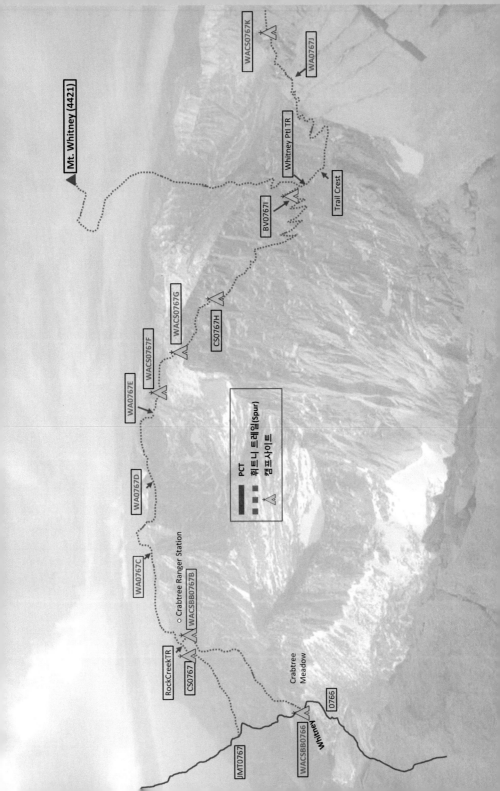

1.2. 미국 비자 VISA

1.2.1. 미국 B1/B2 비자

PCT 준비과정 중 아무리 강조해도 지나치지 않은 부분이 미국 비자 발급이다. PCT의 모든 길을 걷기 위해서는 통상 4개월에서 길게는 6개월의 시간이 필요하다. 따라서 한국인 PCT 하이커는 최대 6개월까지 미국 체류가 가능한 관광/상용 비자인 B1/B2 비자가 필요하다. 무비자로 가능한 3개월의 체류기간으로는 사실상 완주가 힘들다. 당장이라도 떠날 수 있도록 짐을 꾸렸다 해도 미국 비자가 없다면 아무 소용없다. (그건 준비가 안 된 거다.)

1.2.2. 미국 B1/B2 비자 신청방법

기본적인 비자신청 절차에 대해서 설명한다. 비자 신청 및 자세한 안내는 미국 비자 신청 페이지**를 참조할 것. 다른 하이커들의 비자 준비**에서 더 상세한 비자 신청 절차 및 노하우를 살펴볼 수 있다.

(1) 비자 인터뷰 서류 준비

비자 신청 및 인터뷰에 필요한 기본적인 준비물은 여권과 규격에 맞는 사진이다. 미국 방문 목적인 PCT 하이킹에 대해 증명할 서류를 준비한다.

- 많은 정보들을 통해 공통적으로 알게 된 사실은, 소속이 없거나 고정 수입이 없으면 불법체류의 소지가 있다고 판단하여 거절될 확률이 크다는 것이다. 위 상황에 해당하는 경우 이것을 보완할 수 있는 관련 서

류를 최대한 준비할 것. PCT 하이킹을 위해 미국에 방문하며 6개월 이후 반드시 한국으로 돌아간다는 것(돌아와야만 하는 이유 혹은 계획 등)을 서류상으로 증명하는 것이 중요하다.

(2) 온라인 비자 신청

[DS-160(비이민 비자 온라인 신청서) 작성 ➜ 비자 신청 수수료 납부 ➜ 인터뷰 일정 예약]

- DS-160 작성 시 PCT에 대한 설명부터 귀국 이후 계획까지 상세한 정보를 최대한 많이 담을 것. 단순 정보뿐인 부실한 신청서를 작성한 경우 인터뷰에서 떨어질 확률이 크다. 히맨을 비롯해 많은 하이커들의 경험에 의하면 비자 인터뷰 시 아무리 많은 서류를 지참하더라도 면접관이 거의 살펴보지 않으며, 이미 수집된 정보에 의해 판단하는 경우가 많다는 것을 알게 되었다. DS-160 작성에 공을 들일 것을 강조하는 이유다. (구비 서류가 중요하지 않다는 뜻은 아니다.)

비자신청 수수료 이체 안내 화면

(3) 미국 대사관 방문 및 인터뷰

구비 서류를 지참하여 예약한 인터뷰 날짜 및 시간에 맞춰 미국 대사관을 방문하여 비자 인터뷰를 진행한다. 노트북이나 태블릿 등의 전자기기와 흉기가 될 수 있는 물품 등은 소지가 불가능하니 방문 전 관련 규정을 꼭 홈페이지**에서 확인할 것.

1.2.3. 히맨의 한마디

- 직업이나 소속, 고정수입이 있으나 이를 중단(퇴사 등)하고 떠날 계획이라면, 중단하기 전에 비자를 발급받을 것. 앞서 말했듯 소속이나 수입이 있는 것이 그렇지 않은 것보다 비자 발급에 유리하다.

- 히맨은 대한산악연맹을 통해 PCT 하이킹을 끝낸 후 귀국할 것이라는 내용의 신원확인서를 발급받았고, PCT 퍼밋, 여행경비가 든 통장잔고증명서 등을 준비하여 인터뷰 시 지참하였다. 또한 PCT 도전에 관한 산악잡지 인터뷰 기사도 출력하여 갔는데 한글 기사임에도 면접관이 가장 관심 있게 살펴보았다.

- 히맨은 온라인 지식서비스의 전문가에게 문의하여 신청과정에서부터 필요서류 및 조언까지 많은 도움을 받을 수 있었다. 준비과정에 확신이 없다면 이를 적극적으로 활용할 것을 추천한다. 부정적인 답변이 돌아올 가능성이 크지만 시도도 해보기 전에 포기하지는 말 것. 히맨 또한 직업과 소속은 물론 수입도 없는 상태였고, 전문가들로부터는 그저 3개월만 다녀오라는 답변뿐이었다. 어느 정도 준비가 되었다면 경험 있는 하이커들의 조언을 듣는 것도 좋다.

- 2015년부터 지금까지 많은 한국인 예비 장거리 하이커들이 비자 발급에 성공했으나 모두 그러한 것은 아니다. 비자 발급을 거절당한 후 2~3번의 인터뷰를 다시 준비하면서 마음 고생하는 하이커들을 많이 지켜봤다. 끝내 포기하는 하이커들도 적지 않았다. 이 길이 정말로 간절하다면 할 수 있는 한 최선을 다해 준비하라. 결과를 떠나서 '조금 더 준비할 걸'하는 후회가 남지 않았으면 한다.

1.3. 캐나다 퍼밋 Canada Border Services Agency permit

1.3.1. 캐나다 국경관리국 퍼밋

미국/캐나다 국경Monument 78에는 따로 입국 심사를 하거나 경비하는 인원은 없으나, 퍼밋없이 캐나다로 넘어가는 것을 불법이다. PCT를 통해 국경을 넘어 캐나다로 가기 위해서는 캐나다 국경 관리국에서 퍼밋을 받아야 한다. 퍼밋이 없을 경우 미국/캐나다 국경에서 하츠 패스까지 약 50km의 거리를 되돌아가야 도로를 만나 탈출할 수 있다. 따라서 캐나다 퍼밋을 신청하여 받는 것을 추천한다.

1.3.2. 캐나다 국경관리국 퍼밋 신청방법

(1) 캐나다 퍼밋 신청서 작성

캐나다 퍼밋 신청양식Application for Entry into Canada은 PCTA 홈페이지 퍼밋 항목**에서 다운로드 가능하다. 개인 신상과 예상 캐나다 체류기간 및 예산 등을 입력한다.

Canada Border Services Agency
Pacific Crest Trail Processing Centre
28 – 176th Street, Surrey, BC V3Z 9R9
PacificCrestTrail@cbsa-asfc.gc.ca

INFORMATION MUST BE
LEGIBLE ON THIS
APPLICATION

APPLICATION FOR ENTRY TO CANADA VIA THE PACIFIC CREST TRAIL (PCT)

This form can be completed on a computer, or completed by hand using black ink and **BLOCK LETTERS** . Remember to sign and submit with indicated documents.

Please submit completed applications by email address noted above

Each person entering via the Pacific Crest Trail must complete his/her own application. If under 18 years of age, and not accompanied by a parent or legal guardian, a notarized letter of parental consent is to accompany this application.

Application email info:PacificCrestTrail@cbsa-asfc.gc.ca By Telephone:1-866-496-3987

PART "A"

NAME (LAST OR FAMILY NAME)	FIRST NAME	MIDDLE NAME(S)	SEX: ⦿ M ◯ F
OTHER NAMES USED: Eg. Maiden, Nicknames..			

캐나다 퍼밋 신청서 양식.

(2) 신청서 발송 및 수령

작성한 신청서를 캐나다 국경관리국_{Canada Border Service}으로 이메일 혹은 우편 발송한다. 이후 승인된 퍼밋을 수령하여 캐나다에 체류하는 동안 소지하고 다닌다.

1.3.3. 히맨의 한마디

- 히맨은 퍼밋 신청서를 출력하여 작성 및 서명한 것을 이메일이 아닌 우편으로 보내야 하는 번거로움이 있었다 2014/10/9. 하지만 캐나다 퍼밋 신청서 양식(PDF)이 업데이트되면서 이메일을 통한 퍼밋 신청 및 수령이 가능해졌다 2015/10/26. PCT 협회 홈페이지에서 변동된 정보를 수시로 확인하고, 최신의 캐나다 퍼밋 신청서 양식을 내려 받아 작성할 것.

- PCT 출발 6 개월 전부터 신청이 가능하며 늦어도 출발 8~10 주 전까지 퍼밋을 신청해야 한다는 것을 참고하여 일정에 차질이 없도록 한다.

이 안내판을 지나는 순간 캐나다 땅을 밟게 된다.

1.4. PCT를 기억하는 방법

인생의 한 갈래 특별했던 길을 무사히 마무리한 것을 기념하고 싶은 마음은 누구나 있을 것이다. 하지만 아쉽게도 PCT의 양 끝 지점에는 완주를 축하하는 결승선 아치나 리본, 월계관 같은 것은 존재하지 않는다. 그저 이 길의 끝을 알리는 포스트만 있을 뿐이다. 당신이 예비 PCT 하이커라면 다소 실망할지도 모르겠다. 하지만 아예 방법이 없는 것은 아니다. 길 위에서 바로 받을 수 있는 것은 아니지만 두고두고 PCT를 추억하게 할 PCT 완주 메달과 완주 인증서가 그것이다.

1.4.1. PCT 완주 메달 프로그램

PCT 협회는 매년 PCT 완주자 목록을 '2600 마일러 리스트2600 miler list'라는 이름으로 홈페이지에 공개하고 있다. 이곳에서 하이커의 이름과 트레일 네임으로 연도별 PCT 완주자를 찾아볼 수 있다.

PCT 완주 메달 프로그램은 약 10년 전 기획되어 2010년부터 시작되었다. 〈The High Adventure of Eric Ryback, 1973〉의 저자이자 1970년에 PCT를 완주한 전설적인 스루 하이커Thru-hiker인 에릭 라이백Eric Ryback의 아이디어였다.

견고한 황동, 지름 7.62센티미터, 무게 255그램, 파란 리본…

PCT 완주 메달의 스펙이다. 히맨이 지금껏 받아본 그 어떤 완주메달보다 묵직했다. 하지만 그보다 중요한 것은 메달에 담긴 내용이다. 앞면에는 PCT 지도와 마크가 새겨져 있으며, 뒷면에는 하이커의 이름, 트레일 네임Trail name, 완주한 연도가 새겨져 있다.

PCT 완주 인증서Certification of Completion는 하이커의 이름과 트레일

네임은 물론 출발일과 종료일 그리고 PCT 협회장의 친필 사인을 담고 있다.

- PCT 완주자 리스트_{2600 miler list}**
- PCT 메달 프로그램 소개**

1.4.2. 완주 메달 및 인증서 신청방법

- 완주 메달 및 인증서 신청 페이지**로 이동하여 아래와 같은 순서로 신청 양식에 정보를 입력한다.

[Contact Information → Trip Details → Your Story → Donate → Review]

(1) Contact Information연락처 정보 → Trip Details하이킹 정보

이름, 주소, 연락처 등 인증서 기본 정보를 입력하며, 출발일, 종료일을 비롯한 하이킹 종류와 방향 등의 하이킹 정보를 입력한다.

(2) Your Story하이킹 소감

'Your Story' 단계에서의 작성은 원하지 않으면 적지 않아도 되는 선택 사항이다. 작성을 원한다면 하이킹 소감 및 하고 싶은 말을 자유롭게 적는다. 문의사항을 적어 PCT 협회의 답변을 받을 수도 있다. PCT 협회에서 해당 글을 공개 인용해도 되는지 여부도 선택할 수 있다. 이후 생일 정보와 성별 및 인종 등의 부가정보를 입력한다.

(3) Donate기부

완주 인증서 발급과 완주 메달 제작 여부를 선택한다." 인증서 발급은

무료이며 메달 신청에 필요한 최소 기부금은 40달러이다.(배송료 15달러 별도)

(4) Review리뷰

입력한 정보가 정확한지 다시 확인한다. 메달에 새겨질 이름과 연도를 간단히 살펴볼 수 있다. 이후 선택한 기부금액결제 및 완주 정보 제출을 완료한다.

1.4.3. 히맨의 한마디

- PCT를 걷는 방법은 다양하다. PCT 완주에 대한 인증이 따로 없는 만큼 PCT 완주를 결정하는 것은 하이커 본인에게 달려있다.

- PCT 완주 메달은 결코 가볍지 않다.

Certificate of Completion

Awarded to

Heenam "He-Man" Kim

For travelling the entire length of the Pacific Crest National Scenic Trail
4/16/2015 through 10/7/2015

Liz Bergeron
Executive Director and CEO

PACIFIC CREST TRAIL
ASSOCIATION

2. PCT 보급

　장거리 하이킹은 1~2주의 짧은 산행이 아니다. 4개월 이상 길게는 6개월까지 지속되는 장거리 하이킹은 산 속에서의 생활이라고 봐도 무방하다.

　그렇다면 PCT에서는 어떻게 먹고 살아야 할까? 4~6 개월 동안 먹을 식량과 장비를 모두 지고 가는 것은 불가능하다. 때문에 PCT에서는 식량과 장비들을 보충하는 보급이 필수적이다.

　보급은 장거리 하이킹을 처음 준비하는 이들에게는 가장 큰 고민거리이기도 하다. 정확한 보급지 정보 수집은 물론 운행거리를 따져 보급지를 선정하며, 도착하는 날 해당 보급지가 운영을 하는지도 살펴야 한다. 그 외에도 정말 많은 변수들이 있는데, 이것들을 일일이 따지다 보면 보급 계획만 세우다 길에 나서게 될지도 모른다. 한마디로 정답이 없다. 그렇다고 가면 다 알아서 된다고 말하기엔 너무 무책임하다.

　히맨이 직접 경험하며 알게 된 보급 전략들을 소개한다. 또한 설문조사를 바탕으로 한 2016년 하이커들의 보급에 대해서도 알아본다.

라구나 우체국에서 받은 첫 보급 상자. 좌측 상단 숫자표기 '1-2'에서 1은 보급 순번, 2는 직접 만든 보급지 고유번호다. 우측 상단에는 도착 예정일(ETA)을 적었다.

2.1. PCT 보급 전략

현지에서 보급을 도와 줄 사람을 찾아 수시로 연락하며 보급을 받는 방법이 가장 효율적이다. 하지만 이런 경우가 아니라면 보급 계획에 많은 노력을 기울여 길에서 굶는 일이 없도록 해야 한다. 꼭 계획을 하라는 법은 없지만 미리 준비하지 않으면 히맨처럼 텅 빈 피넛버터 통을 긁을 수밖에 없는 구간이 분명 있을 것이다.

장거리 하이킹에서 주로 쓰이는 몇 가지 보급 방법을 소개하겠다.

(1) 출발 전 모든 보급상자 발송

보급지를 미리 선정하여 PCT 하이킹 기간 동안의 모든 보급품을 분배하여 각 보급지에 발송하는 방법이다. 가장 일반적인 동시에 많은 노력이 필요한 방법이다. 보급지 정보파악이 미흡하거나 운행계획 변경 등에 따른 돌발 상황이 발생할 경우 유연한 대처가 힘든 단점이 있다. 계획을 철저히 하여 보급으로 인해 운행에 차질이 없도록 하는 것이 중요하다.

PCT 보급 전략 1 : 출발 전 모든 보급상자 발송

(2) 주요 보급지에 발송 후 재분배 발송

꼭 들러야겠다고 판단되는 주요 보급지 몇 곳에 전체 보급품을 나누어 발송한 후, 해당 보급지에서 이를 재분배하여 추가적으로 필요한 보급지로 발송하는 방법이다. 모든 보급지에 보내는 것보다 상황에 따라 유연한 대처가 가능하다.

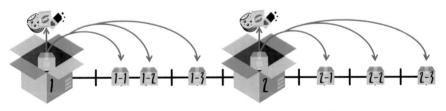

PCT 보급 전략 2 : 주요 보급지에 발송 후 재분배하여 발송

(3) 전체 보급품을 보내 필요량만을 받은 후 다음 보급지로 발송

보급 계획이 틀어지지만 않는다면 가장 단순하면서도 효율적인 방법이다. 트리플 크라운 하이커인 윤은중Thermometer 님의 경우 아래 그림과 같이 첫 보급지에서 필요량만 보급한 후 다시 다음 보급지로 발송하였다. 모든 보급 물품을 한꺼번에 잃지 않으려면 다음 보급지의 정보를 확실히 파악하는 것이 중요하다.

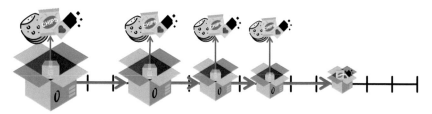

PCT 보급 전략 3 : 전체 보급품을 보내 필요량만을 받은 후 다음 보급지로 발송

(4) 현지 구매

걸으며 만나게 되는 마을 등에서 식량과 장비 등을 구매하는 방법이다. 그때그때 필요량에 맞는 보급이 가능하여 효율적이며, 배송비 등을 절약할 수 있다. 필요한 보급품을 현지에서 온라인으로 직접 주문하여 다음 보급지에서 수령하는 방법도 효율적이다. 대형 한인 마트에서의 온라인 주문을 통해 좀 더 입맛에 맞는 식량을 받아 보는 것도 고려해볼 만하다.

이 외에도 여러 가지 보급 방법이 있으며, 구간에 따라 방법을 달리할 수도 있다. 자신에게 맞는 형태로 최적화하여 보급 전략을 짜기 바란다.

히맨은 출발 전에 미리 15개의 보급 상자를 각 보급지로 발송했다. 첫 한 달을 4~5일 단위로 나누어 보급지를 확정하고(7상자), 8개의 나머지 보급 상자들은 남은 PCT 총 거리를 나누어 발송했다. 4~5일 단위의 보급이 가장 적당하고 배낭무게도 큰 부담이 없다. 이후 부족한 행동식들은 현지구매로 해결했고, 중 후반부터는 주로 세 번째 방법으로 보급을 진행했다.

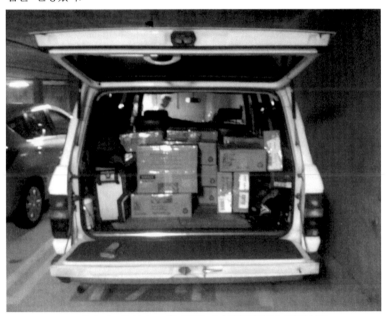

PCT 출발 전 보급 상자 15개를 만들어 재미대한산악연맹의 도움을 받아
각 보급지로 발송하였다.

2.2. 보급지 정보

 보급지 참고 사이트

- Plan Your Hike**
- Postholer**
- HikeThru(Atlas Guide)**
- PCT 타운 가이드**

PCT 보급지 정보는 장거리 하이커들에게 가장 필요한 정보이다. 보급지에 대해 얼마나 정확한 정보를 가지고 계획하느냐에 따라 운행 일정 및 예산 규모가 달라진다.

PCT 보급지 정보를 제공하는 사이트는 많다. 그러나 모든 사이트가 최신의 정보를 제공하지는 않기 때문에 어떤 정보가 정확한지 알기 쉽지 않다. 히맨 역시 수집한 자료들이 정확한 것인지 확인할 길이 없어 불안했던 기억이 있다. 고민 끝에 보급지 정보를 제공하는 주요 사이트(Plan Your Hike/Postholer/HikeThru)의 정보를 모두 취합하여 공통적으로 소개되는 보급지 리스트를 만들었다. 리스트 내의 약 90곳의 보급지 중 운행거리를 고려하여 최종 보급지를 선택했다.

히맨의 실제 보급지 및 추천 보급지는 이어지는 PCT 각 구간 소개와 함께 구간별로 확인할 수 있다.

구간	보급지명	주소	좌표	거리 (km)	거리 (mi)	PCT별 거리 (km)	PCT별 거리 (mi)	HikeThru	정보 (Postholer)	정보 (Plan Your H)
CA Sec A	Campo	Campo, CA 91906	32.6076 - 116.469977	2.3	1.4	0.0	0	P.O., US Mail	View Details	0000+00 "Campo PO
CA Sec A	Mt Laguna	Mt. Laguna, CA 91948	32.867067 - 116.419295	69.5	43.2	0.4	0.25	P.O., US Mail	View Details	0043+00 Mount Lagun
CA Sec A	Julian	Julian, CA 92036	33.077986 -116.601462	126.7	78.7	6.6	4.1	P.O., US Mail	View Details	0077+04 Julian PO
CA Sec B	Warner Springs	Warner Springs, CA 92086	33.28352 - 116.63473	179.4	111.5	1.6	1	P.O., US Mail	View Details	0110+01 "Warner Sprir
CA Sec B	Paradise Cafe	c/o Paradise Corner Cafe 61721 Hwy 74 Mountain Center, CA 92561	33.569219 -116.591527	247.4	153.7	1.6	1	UPS ONLY, 951-659-0730, Days and times vary, call to verify service and mailing requirements.	View Details	0152+01 Paradise Cor
CA Sec B	Idyllwild	Idyllwild, CA 92549	33.743630 -116.713240	287.4	178.6	7.2	4.5	P.O., US Mail	View Details	0179+05 "Idyllwild PO
CA Sec B	Cabazon PO	Cabazon, CA 92230		338.0	210	8.0	5	P.O., US Mail		0210+05 Cabazon PO
CA Sec C	Big Bear Lake	Big Bear Lake, CA 92315	34.243098 -116.909809	424.7	263.9	9.7	6		View Details	0265+06 Big Bear Lake
CA Sec C	Big Bear City	Big Bear City, CA 92314	34.261783 -116.846488	424.7	263.9	8.0	5	P.O., US Mail	View Details	0265+05 Big Bear City
CA Sec C	Cajon Pass	c/o Best Western Cajon Pass 8317 US Hwy 138 At the I-15 Freeway Phelan, CA 92371	34.312647 -117.478201	548.1	340.6	1.6	1	US Mail, 760-249-6777, call to verify service and mailing requirements	View Details	0342+09 Best Western
CA Sec D	Wrightwood	Wrightwood, CA 92397	34.360030 -117.630770	579.2	359.9	7.2	4.5	P.O., US Mail	View Details	0364+05 "Wrightwood
CA Sec D	Acton PO	Acton, CA 93510		714.5	444	9.7	6			0444+06 Acton PO
CA Sec D	Agua Dulce	c/o The Saufleys 11861 Darling Road Agua Dulce, CA 91390	34.496530 -118.344061	722.1	448.7	1.6	1	US Mail, Fed Ex, UPS & DHL Visit http://www.hikerheaven.com/ for current details and requirements	View Details	

■ PCT 보급 통계

- PCT 하이커 설문조사*의 통계를 바탕으로 히맨의 의견을 더했다.
- 2017년은 폭설과 화재 등 PCT에 일반적이지 않은 변수가 많이 작용했다. 때문에 2017년 설문 결과를 PCT 하이킹 준비에 적용하기에는 다소 무리가 있다는 판단에 2016년의 설문과 함께 다룬다.
- 각 항목의 제목 끝에 연도를 표기하여 구분한다.

(1) 보급 상자Resupply Boxes, 2017

82%의 하이커들이 보급상자를 일부 보급지에 발송하는 방법으로 보급을 진행했다. 출발 전 모든 보급 상자를 발송한 경우는 전체 하이커의 8%, 보급 상자 발송을 전혀 하지 않은 경우는 전체 하이커의 10%이다.

PCT를 걷는 동안의 전체 보급 횟수는 평균 26회로 2016년과 동일하며 2015년에 비해 2회 줄었다. 이는 보급 상자 발송 외에 현지 구매 등을 모두 포함한 수치다. 보급지에 발송한 평균 보급 상자 개수는 10개로 2016년에 비해 2개, 2015년에 비해 4개 줄어들었다.

---

* Halfwayanywhere**의 PCT 하이커 설문 (2017년**/2016년**)

(2) 보급 상자를 꼭 보내야 한다고 생각되는 보급지2016

1. 스터헤킨Stehekin - Washington

2. 케네디 메도우즈Kennedy Meadows (South)* - Sierra

3. 스티븐스 패스(스카이코미쉬)Stevens Pass(Skykomish) - Washington

4. 화이트 패스White Pass - Washington

5. 스노퀄미 패스Snoqualmie Pass - Washington

6. 워너 스프링스Warner Springs - S.Cal(Desert)

7. 트라우트 레이크Trout Lake - Washington

8. 크레이터 레이크Crater Lake(Mazama) - Oregon

9. 빅 레이크 유스 캠프Big Lake Youth Camp - Oregon

10. 쉘터 코브Shelter Cove - Oregon

11. 시에라 시티Sierra City - NorCal

12. 팀버라인 로지Timberline Lodge - Oregon

- 2015년과 비교하여 빅레이크 유스 캠프Big Lake Youth Camp와 팀버라인 로지Timberline Lodge가 새롭게 포함되었고, 버밀리언 밸리 리조트VVR와 벨든Belden이 제외되었다.

- 케네디 메도우즈 이후 구간부터는 곰통bear canister을 꼭 소지해야 한다. 때문에 많은 하이커들이 케네디 메도우즈에서 곰통을 구매한다.

*곰통에 대한 설명은 〈히맨의 PCT 장비〉에서 다룬다.

(3) 여기에서는 식량을 사지 않겠다2016

식량 구매 대신 보급 상자를 통해 보급 받을 장소

(식량을 사지 않고 보급 상자를 받는 편이 낫겠다고 생각하는 장소는?)

1. 시에라 시티Sierra City - NorCal
2. 스터헤킨Stehekin - Washington
3. 아구아 둘세Agua Dulce - S.Cal(Desert)
4. 버밀리언 밸리 리조트(VVR)Vermilion Valley Resort - Sierra
5. 벨든Belden - NorCal
6. 크레이터 레이크Crater Lake(Mazama) - Oregon
7. 북부 케네디 메도우즈Kennedy Meadows North - NorCal
8. 워너 스프링스Warner Springs - S.Cal(Desert)

해당 장소에 보급을 할 만한 충분한 규모의 가게와 식당 혹은 장비점 등이 없는 곳인 경우이거나, 음식과 식료품 등이 비싼 것이 가장 큰 이유로 보인다.

■ 보급 전략을 수정한다면?

1. 보급 상자 개수를 줄인다.
2. 트레일을 진행하면서 보급 상자를 발송한다.
3. 보급 상자의 식량을 줄인다.
4. 보급을 더 자주한다.

(4) PCT 구간별 보급지 이용률₂₀₁₆

- 히맨이 다녀온 보급지에 대한 정보는 각 구간별 〈보급지&랜드마크〉 항목에서 소개하며 상세한 내용은 PCT 타운 가이드^{***}에서 확인할 수 있다.

> ### ■ 캘리포니아 남부 SOUTHERN CALIFORNIA, DESERT
>
> Campo (42%) Mount Laguna (88%) Julian (55%) Warner Springs (90%) Paradise Cafe (77%) Idyllwild (94%) Anza (1%) Cabazon (22%) Big Bear City (44%) Big Bear Lake (40%) Big Bear Hostel (27%) Wrightwood (85%) Acton (47%) The Saufley's/Agua Dulce (78%) The Anderson's (70%) Hikertown (74%) Tehachapi (80%) Mojave (18%) Kernville (1%) Ridgecrest (3%) Onyx(7%) Lake Isabella (45%)
>
> *이용률 : 66% 이상, 33-66%, 33% 미만

- 2015년 1% 미만에 그쳤던 보급지들이 사라졌다.
- 2015년 74%에 달했던 악톤_{Acton} 선택 비율이 47%로 떨어졌다.
- 2015년에는 3%에 그쳤던 아구아 둘세_{The Saufley's/Agua Dulce}의 이용률이 2016년 78%로 크게 뛰어 올랐다. 아구아 둘세의 트레일 엔젤 호스팅 장소인 하이커 헤븐_{Hiker Heaven}이 다시 운영을 시작하면서 많은 PCT 하이커들이 이곳을 이용한 것으로 보인다.

■ 캘리포니아 중부CENTRAL CALIFORNIA, SIERRA

Kennedy Meadows (94%) Lone Pine (35%) Independence (45%) Muir Trail Ranch (15%) Bishop (57%) Vermilion Valley Resort (49%) Red's Meadow (50%) Mammoth Lakes (75%) Tuolumne Meadows (85%) Yosemite Valley (1%) Lee Vining (5%) Sonora Pass Resupply (1%) Bridgeport (16%) Kennedy Meadows North (45%) Markleeville (3%)

*이용률 : 66% 이상, 33~66%, 33% 미만

- 2015년 100%에 달했던 케네디 메도우즈의 이용률이 2016년 94%로 다소 떨어졌다.

- 2016년부터 서비스를 시작한 소노라 패스 리서플라이Sonora Pass Resupply**의 이용률은 1%로 매우 낮다. 소노라 패스 리서플라이는 온라인 주문을 통해 보급을 대행해 주는 서비스이다. PCT를 비롯한 장거리 하이킹 정보의 접근이 쉬워짐에 따라 굳이 대행 서비스의 필요성을 느끼지 못하는 것이 낮은 이용률의 원인으로 보인다.

South Lake Tahoe (90%) Echo Lake (26%) Tahoe City (9%) Soda Springs (7%) Truckee (32%) Sierra City (90%) Quincy (20%) Chester (57%) Drakesbad (45%) Old Station (71%) Belden (83%) Burney (38%) Burney Falls Guest Ranch (2%) Burney Falls (64%) Castella (42%) Dunsmuir (23%) Mount Shasta (55%) Etna (73%) Seiad Valley (85%)

*이용률 : 66% 이상, 33-66%, 33% 미만

- 2015년 리스트에서는 볼 수 없었던 벨든Belden이 83%의 엄청난 이용률과 함께 포함되었다.

- 2016년부터 에코 레이크Echo Lake의 우체국이 PCT 보급 상자를 더는 받아주지 않으면서 2015년 이용률이 44%에서 26%로 크게 떨어졌다. 에코 레이크로 보낼 경우 근처의 다른 우체국Twin Bridges에서 받을 수 있다고 하니 가능하면 타호 레이크South Lake Tahoe에서의 보급을 추천한다.

Callahan's (49%) Ashland (85%) Fish Lake(22%) Lake of the
Woods Resort (3%) Mazama Village Store (Crater Lake) (95%)
Diamond Lake Resort (10%) Shelter Cove Resort (79%) Odell
Lake Resort (7%) Elk Lake Resort (38%) Sisters (29%) Bend (50%)
Big Lake Youth Camp (61%) Olallie Lake Resort (55%)
Government Camp (13%) Timberline Lodge (86%) Cascade Locks
(93%) Hood River (8%) Portland (1%)

*이용률 : 66% 이상, 33-66%, 33% 미만

- 마자마 빌리지 스토어Mazama Village Store, Crater Lake와 캐스케이드 록
스Cascade Locks는 여전히 높은 이용률을 보인다. 크레이터 레이크 국립
공원 내에 위치한 마자마 빌리지 스토어는 드넓은 캠핑장(유료)이 함
께 위치하고 있어 많은 하이커들이 이곳을 이용한다. 이후 크레이터
레이크를 둘러가는 크레이터 레이크 림 트레일Crater Lake Rim Trail로 향
한다.

- 캐스케이드 록스는 〈와일드〉의 마지막 장면에 등장하는 장소로도
유명하다. 이곳에서 워싱턴으로 넘어가는 길인 신들의 다리the Bridge of
the Gods를 볼 수 있다. PCT 하이커들의 축제인 PCT 데이즈PCT days가
열리는 장소이기도 하다.

- 포틀랜드의 이용률은 2015년 9%에서 2016년 1%로 이용률이 크게
떨어졌다.

Trout Lake (51%) White Pass (93%) Packwood (23%) Snoqualmie Pass (96%) Stevens Pass/Skykomish (71%) The Dinsmores (22%) Leavenworth (4%) Stehekin (93%) Mazama (9%) Winthrop (10%)

*이용률 : 66% 이상, 33-66%, 33% 미만

- 트라우트 레이크Trout Lake의 이용률이 2015년 74%에서 2016년 51%까지 떨어졌다. 딘스모어The Dinsmores의 이용률 또한 45%에서 22%로 뚝 떨어졌다.

- 개인적으로 좋은 기억을 가지고 있는 트라우트 레이크의 이용률이 떨어진 것이 의외다.(주유소 옆 식당의 햄버거가 정말 맛있었다.)

(5) 선호/비선호 보급지2016

👍 선호 보급지

아이딜 와일드Idyllwild, DESERT
비숍Bishop, SIERRA
사우스 레이크 타호South Lake Tahoe, NORCAL
애쉬랜드Ashland, OREGON
스터헤킨Stehekin, WASHINGTON

히맨이 가보지 못한 스터헤킨을 제외하면 모두 각 마을의 특색이 분명하며 다양한 경험을 할 수 있는 장점이 있는 곳들이다.

선호 보급지 리스트를 통해 대부분의 PCT 하이커들은 인프라(우체국, 식당 마트 등)를 갖추고 있는 보급지를 - 당연하게도 - 선호하는 것을 알 수 있다.

선호하지 않는 보급지를 살펴보면 역시나 선호 보급지와는 반대로 인프라가 부족한 곳들이 대부분이다.

하이커 타운에서는 물품 발송이 가능한 작은 슈퍼에 가려면 차량을 이용해야 하고, 케네디 메도우즈는 메인 상점을 제외하고 모두 간이 시설로 이루어진 길옆의 캠핑장이다. 벨든과 쉘터코브는 작은 리조트이며, 스노퀄미 패스는 도로가에 위치한 숙박 시설과 작은 식당들이 전부라고 볼 수 있다.

하지만 개인적으로 케네디 메도우즈가 비선호 보급지에 속한 것은 이해하기 힘들다. 케네디 메도우즈에서의 사막을 끝낸 것을 축하하는 하이커들의 박수소리와 시끌벅적한 하이커들만의 맥주파티는 결코 잊을 수 없는 행복한 추억이었다. 하이커 타운의 허름하지만 안락했던 캐빈에서의 이틀 또한 즐겁고 유쾌한 경험이었다.

■ 히치하이킹이 힘들었던 마을(보급지)2016

1. 에트나Etna, Northern California
2. 키어사지 패스에서 인디펜던스Independence from Kearsarge Pass, Sierra
3. 레이크 이자벨라Lake Isabella, Desert
4. 비숍Bishop, Sierra
5. 트라우트 레이크Trout Lake, Washington

아무리 장거리 하이커들이라 할지라도 보급을 받으러 먼 마을까지 걸어갈 수는 없다. 길을 걷다 만나는, 마을과 이어지는 도로에서 대부분의 하이커들이 보급을 위해 히치하이킹을 시도한다. 하지만 히치하이킹이 항상 쉽지만은 않다. 힘겹게 히치하이킹에 성공해서 마을에 도착했다고 끝이 아니다. 다시 트레일에 복귀하는 것도 일이다. 히맨도 마을을 오가는 히치하이킹에서 애를 먹었던 기억이 있다. 해당 마을로 가기로 결정을 했다면 미리 픽업을 도와줄 사람이 있는지 알아보는 것이 뜨거운 아스팔트 위에서 고생하지 않는 방법이다.

2.3. 히맨의 한마디

- 보급 상자를 발송하기 전에 상자 겉면에 사방으로 잘 보이도록 'PCT hiker_{PCT 하이커}'라고 쓴다. 예를 들면 'Heenam, PCT hiker'라고 쓰는 것이다. 이는 보급 상자를 신속하게 찾을 수 있도록 도움과 동시에 PCT 하이커를 위한 장기보관을 가능하게도 한다.

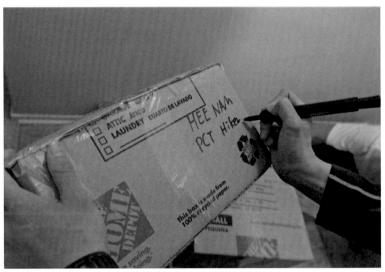

HEE NAM PCT Hiker. 이렇게 잘 보이게 쓴다!
(photo by 양희종)

- 가급적 우체국의 우선취급우편_{Priority Mail}을 이용하여 다음 보급지의 우체국_{Post Office, PO}으로 발송할 것. 보급 상자를 발송한 후 해당 지점을 지나치거나 일정상 다른 보급지에서 받아야 하는 경우가 생긴다. 이럴 경우 해당 우체국에 요청하면 다른 곳으로 1회 무료로 보내준다.

뮤어 트레일 랜치(Muir Trail Ranch)로 보내는 우선취급우편(Priority Mail) 라벨

- 보급지에 도착하는 요일 및 우체국 등 보급 상자를 찾을 장소의 영업시간을 꼭 확인할 것. 무리하게 운행하여 보급지까지 도달했으나 정작 우체국이 문을 닫아 낭패를 보는 수도 있다. 히맨은 운영기간을 확인하지 않은 채 아무도 없는 산장에 소중한 식량을 보냈다가 보급에 실패한 적이 있다. 또한 주말에 도착한 닫힌 우체국에서 예정대로 운행을 이어가지 못하고 하루를 보내는 일도 적지 않았다.

- 뮤어 트레일 랜치Muir Trail Ranch, 레드 메도우Red's Meadow 등의 일부 보급지는 수수료를 지불해야 하는 곳도 있는데 비용이 결코 저렴하지 않다. 수수료 관련 정보를 미리 숙지하여 보급지를 선정하기 바란다. 운영 기간이 따로 있는 곳들도 있으니 해당 기간을 꼭 확인해야 한다.

3. PCT 식량

PCT 하이커들은 각자의 생활 방식이나 이전의 경험에 따라 자신의 식량을 선택한다. 이후 PCT를 진행하면서 조금씩 자신에게 최적화된 식단을 구성하게 된다. 때문에 정답은 없다. 자신이 가장 중요하게 생각하는 기준에 따라 식량을 구성한다면 그보다 완벽한 식단은 없다.

식량 부문에서는 히맨의 식량 선택 기준과 그에 따른 PCT 식단을 소개한다.

PCT 초반 히맨의 식량

3.1. 히맨의 PCT 식량_{FOOD}

■ 고열량 / 가볍고 작은 부피 / 간편하고 빠른 조리

히맨은 처음 PCT 식량을 준비하면서 위 세 가지 조건에 맞춰 '맛' 보다는 '효율적인 걷기'에 최대한 초점을 맞추었다.

하루 평균 30km 이상을 걸어 약 150일 만에 완주하는 것을 계획 했지만 어디까지나 계획일 뿐 정확히 완주에 며칠이 걸릴지는 알 길 이 없었다. 결코 짧지 않은 일정이 될 것은 분명했고, 운행 도중 멈 춰 식사를 할 경우 하루 운행 거리를 소화하기 힘들다고 판단했다. 때문에 쉬는 시간이나 운행 중 행동식을 섭취하는 것으로 중식을 대 신하기로 했다. 조식 또한 간단하고 빠른 간편식을 선택하면서 저녁 에만 제대로 된 식사를 하게 되었다. 결론적으로 조리식을 하루 한 끼로 제한하면서 예산은 물론 식량의 무게와 부피를 줄일 수 있었다.

식 량

- 조 식 : 오트밀 등 간편식
- 중 식 : 행동식
- 석 식 : 알파미 등 조리식
- 간식 및 기타 매식

히맨의 최초 PCT 식량 계획서 中

3.1.1. 간 편 식

■ 또띠아 & 시리얼

현지에서 구할 수 있는 간편식으로 또띠아와 시리얼을 선택했다. 이에 딸기잼과 땅콩버터를 발라 우유 파우더 혹은 단백질 파우더를 섞은 음료와 함께 섭취했다. 잼 대신에 작은 플라스틱 용기에 든 꿀을 바르는 것도 추천한다. 식량에 여유가 있을 경우 시리얼까지 함께 먹었다. 평소 빵과 우유를 즐기는 히맨에게는 매일 아침이 기다려질 정도로 가장 잘 맞는 식단이었다.

■ 오트밀 & 컵스프

시기상 기온이 많이 떨어지는NOBO 기준 PCT 마지막 구간에서는 주로 하이커 박스*에서 얻은 오트밀을 아침마다 끓여먹었다. 휴대가 간편하고, 물을 넣고 끓이기만 하면 되기에 매우 간편하게 섭취할 수 있다. 부상으로 보급을 제 때 하지 못해 식량이 부족했던 히맨에게는 아주 따뜻한 아침이 되어주었다. 또한 인스턴트 컵스프도 추천한다.

간편하게 섭취할 수 있는 인스턴트 오트밀.
상점 및 하이커 박스 등에서 쉽게 구할 수 있다.
(Image from quakeroats.com)

---

* 〈6. PCT 용어 및 지도 약어〉 / (11) 하이커 박스

3.1.2. 행 동 식

PCT 초반에는 영양 구성이 비교적 좋은 프로틴$_{protein}$ 바, 곡물 바, 에너지 젤 등을 선택하여 섭취하였다. 여기에 장거리 러닝 시 주로 섭취했던 포도당 사탕을 먹었는데 운행 시 매우 효과적이었다.

하지만 가격이 그리 저렴한 편은 아니어서 이후 일반 초코바를 열량을 기준으로 선택하여 섭취하였다.

3.1.3. 조 리 식

■ 알 파 미

전투식량 등의 알파미는 뜨거운 물만으로 빠른 조리가 가능하며 무게와 부피 면에서 일반 쌀보다 장거리 하이킹에 유리하다. 일반적인 조리법으로 밥을 해도 무방하지만, 가능하면 끓이기 전에 5~10분 정도 쌀을 물에 불리는 것을 추천한다.

■ 고추장 & 김자반

튜브 용기에 든 볶음 고추장은 한국인 하이커들의 필수품이라 해도 과언이 아니다. 김자반은 일반 김에 비해 보관과 섭취가 간편하다. 고추장과 김자반을 넣고 비빈 따뜻한 밥은 히맨에게 최고의 만찬이었다.

■ 미소스프 & 라면스프

따뜻한 국물로는 인스턴트 미소 된장국을 주로 먹었다. 스프를 넣고 물을 끓이기만 하면 되는 이 제품은 미국의 마트에서도 어렵지 않게 구할 수 있다. 초반에는 라면스프를 자주 이용했는데 출국 전에 미리 라면스프만 대량 구매하여 가져가는 것도 좋다.

PCT에서의 생활에 완벽하게 적응하여 운행 속도가 빨라진 이후부터, 운행도중 점심식사 시간을 길게 가지며 주로 라면을 끓여먹었다.

히맨의 주식량이었던 제로그램 알파미와 오니시 알파미.
(Image from Zerogram / Onisifoods)

3.1.4. 매 식 & 기 타

보통 4~5일에 한 번 꼴로 들르게 되는 보급지와 마을에서는 주로 매식을 하게 된다. 산 속에서 식량을 아껴가며 매일 같은 식단을 반복하다가 마을을 만나게 되면 말 그대로 눈이 뒤집힌다. 휴가 나온 군인의 심정이랄까...

■ 햄버거 & 피자

히맨은 대체로 햄버거와 피자를 주로 사먹었다. 종종 비싼 스테이크를 즐기기도 했다. PCT에서 가장 맛있었던 햄버거는 파라다이스 밸리 카페의 '더 거스 버거The Gus burger'였다. 예비일의 경우 하루 세끼를 모두 매식으로 해결하는데, 주변에 큰 마트가 있을 경우 그곳에서 음식을 구매해 숙소에서 먹었다. 조언을 하자면 마트에서 너무 많은 식량을 충동적으로 구매하지 않았으면 한다. 물론 그게 쉽지 않겠지만 말이다. 매번 남은 식량을 버려두고 길에 복귀할 수밖에 없었던 히맨의 모습이 눈에 선하다.

■ 이온 음료

PCT 사막 구간은 물론 모든 구간을 통틀어 절대 없어서는 안 되는 것이 물이다. 음식을 조리할 때도 필요하지만 그보다 운행 중에 물을 더 많이 소비하게 된다. 더러운 물을 정수한 것을 가장 많이 마시게 된다. 하지만 물리적인 정수(필터)를 해도 불쾌한 냄새는 여전하다. 화학적 정수로 인해 소독약 냄새가 나는 물을 마셔야 할 때도 있다. 매일 꺼림칙한 맹물을 마시는 건 질리기도 하며, 운행 중 땀을 많이 흘리기 때문에 수분은 물론 전해질 보충도 필요하다. 이때 필요한 것이 이온음료이다.

그렇다고 보급지가 아닌 이상 산 속에서 이온음료를 구할 방법은 없다. 이런 문제를 간단히 해결해 주는 것이 이온음료 농축액 혹은 분말 제품이다. 히맨은 물을 담은 수낭에 파워에이드 이온음료 농축액을 짜 넣어 가지고 다니며 운행 중 수시로 섭취했다. 포카리스웨트 이온음료 분말도 종종 이용했으나, 분말보다는 농축액이 농도 조절과 보관이 훨씬 간편하다. 다양한 맛을 취향에 맞게 고를 수 있는 것도 장점이다. 하지만 한국에서는 이와 같은 제품을 구할 수 없는 것이 아쉽다.

파워에이드 제로 드롭. 이 외에도 다양한 종류의
제품들을 마트나 가게에서 쉽게 찾아볼 수 있다.
(Image from coca-colacompany.com)

3.2. 히맨의 한마디

■ 식량 예산 절약하기

- 모텔 등에 머무르게 될 경우 조식으로 나오는 일회용 잼이나 버터를 챙겨두면 좋다. 소량 포장이기에 대용량 용기에 든 제품보다 무게와 부피 면에서 유리하다. 무엇보다 공짜라는 가장 큰 장점이 있다.

- 마트에 들르기 전에 먼저 하이커 박스를 확인할 것. 초콜릿 바 등 웬만한 행동식은 하이커 박스에서 충분히 구할 수 있다. 또한 구매하려던 식량을 하이커 박스에서 마법처럼 발견하게 될지도 모른다.

■ 식량 부피 줄이기

- 모든 패킹에서 부피를 줄이는 일은 중요하다. 식량 역시 마찬가지다. 가장 먼저 할 일은 불필요한 포장을 제거하는 일이다. 특히 낱개 포장 제품을 담은 종이 상자 등은 필히 제거한다.

- 지퍼락 형태의 전투식량의 경우 대게 내부에 일회용 숟가락과 방습제가 들어있다. 이것들을 사전에 제거해주면 불필요한 쓰레기와 무게를 줄일 수 있다. 무엇보다 곰통 등 제한된 공간에 패킹 시 유리하다. 또한 식사 후 텅 빈 지퍼락 포장은 훌륭한 밥그릇이 되어준다. 가벼운 것은 물론 납작하게 접어 넣을 수 있다.

- 지퍼백이나 다 쓴 용기를 활용하자. 지퍼백에 시리얼이나 또띠아 혹은 무거운 유리병의 잼 등을 보관해도 좋다. 이때 이중으로 포장해주는 것이 좋다. 많은 부피를 차지하는 컵라면의 경우 지퍼백에 내용물을 보관

하다가 코펠에 조리해 먹어도 좋다. 이외에 빈 땅콩버터 통에 알파미를 담아 필요량만큼 따라 사용하는 등 다양한 방법이 있다. 걸으면서 자신만의 패킹 방법을 찾아나가는 재미가 있을 것이다.

- 코펠, 컵 등의 조리도구 또한 최소화하면 효율적이다. 히맨은 600ml 용량의 작은 코펠과 접이식 스포크를 사용했다. 코펠은 밥솥이자 국그릇이었고, 시리얼 그릇이었다. 그리고 따뜻한 커피 잔이었다. 어디까지나 효율을 최우선으로 한 선택이니 개인 취향에 맞게 컵 등을 추가하기 바란다.

히맨의 PCT 주방. 600ml 코펠과 스포크 그리고 스토브. 가스를 제외하고 모두 코펠 안에 보관하여 부피를 줄였다.

4. PCT 장비

　길게는 6개월 간 지고 다니며 사용할 장비를 선택하는 일은 중요하다. 어떤 장비와 함께 하느냐에 따라 길에서의 경험이 달라질 수 있다. 매일 이사 짐을 꾸리고 또 푼다고 생각하면 이해가 쉬울지 모르겠다. 거의 사용할 일이 없거나 본인에게 잘 맞지 않는 무겁고 불편한 장비를 선택했다가 후회하는 경우가 적지 않다. 결국 추가 비용을 들여 새 장비를 마련하는 경우도 종종 볼 수 있었다. 때문에 장거리 하이킹을 계획 중이라면 더 효율적인 장비에 대해 생각해볼 필요가 있다.

　PCT 장비에서는 장거리 하이킹 장비 선택에 도움을 줄 자료와 PCT 하이커로서의 경험을 공유한다.

4.1. PCT 장비 통계

- PCT 하이커 설문조사*의 통계를 바탕으로 히맨의 의견을 더했다.
- 2017년은 폭설과 화재 등 PCT에 많은 좋지 않은 변수가 작용했다. 때문에 2017년 설문 결과를 PCT 하이킹 준비에 적용하기에는 다소 무리가 있다는 판단에 2016년의 설문과 함께 다룬다.
- 각 항목의 제목 끝에 연도를 표기하여 구분한다.

🎒 2016 PCT 장비 통계

(2015년의 수치와 비교 / 2015 ▶ 2016)

- 평균 장비 무게 (출발 시) : $8.15\,\mathrm{kg}_{17.96\,lb}$ ▶ $8.88\,\mathrm{kg}_{19.57\,lb}$
- 평균 장비 무게 (종료 시) : $7.09\,\mathrm{kg}_{15.63\,lb}$ ▶ $7.49\,\mathrm{kg}_{16.51\,lb}$
- 평균 장비 구입 비용 : \$1,328.96 ▶ \$1,647.35
- 완주에 소요된 신발 : 평균 4.2켤레(−)
- 완주에 소요된 총 경비 : \$5,705.21 ▶ \$6,053.75
- 평균 침낭 내한 온도 : $-9°C_{15°F}$
- 평균 배낭 용량 : 60.1 L

    2015년과 비교하여 장비의 무게와 비용 모두 상승하였다. 완주에 소요된 신발 켤레 수만이 유일하게 변동이 없다. 장거리 하이커에게 장비의 무게는 물론 내구성과 편의성 또한 중요하기 때문에 고품질의 장비를 택하면서 발생한 비용 상승으로 보인다.

---

* Halfwayanywhere**의 PCT 하이커 설문 (2017년**/2016년**)

4.1.1. 하이커들의 장비 선택₂₀₁₇

2017년 PCT 하이커 설문에서 더 많은 장비 목록들을 볼 수 있으며, Postholer**에서 구축한 하이커들의 장비목록을 통해 실제 하이커들이 사용한 장비 목록을 살펴볼 수 있다.

* 하이커들의 장비 목록_{Gear Lists for Hikers}**

 신발_{SHOE BRANDS, 2017}

1. Altra
2. Salomon
3. La Sportiva
4. Merrell
5. Brooks

 텐트_{TENT, 2017}

1. Big Agnes Fly Creek HV UL2
2. Big Agnes Copper Spur HV UL1
3. Big Agnes Copper Spur HV UL2
4. Zpacks Duplex
5. Big Agnes Fly Creek HV UL1

 배낭_{BACKPACK, 2017}

1. ULA Circuit
2. Osprey Exos
3. Hyperlite Mountain Gear Windrider
4. Osprey Atmos AG
5. ULA Catalyst

 침낭_{SLEEPING BAG, 2017}

1. Enlightened Equipment Revelation
2. Western Mountaineering UltraLite
3. ZPacks Sleeping Bag
4. Marmot Helium
5. REI Igneo 17

 매트리스_{SLEEPING PAD, 2017}

1. Therm-a-Rest NeoAir XLite
2. Therm-a-Rest Z Lite Sol
3. Therm-a-Rest NeoAir XLite (Short)
4. Therm-a-Rest Z Lite Sol (Short)
5. Therm-a-Rest NeoAir XTherm

 스토브_{STOVE, 2017}

1. MSR PocketRocket 2
2. Jetboil MinoMo
3. Jetboil Flash
4. Jetboil Zip
5. Snow Peak LiteMax

4.1.2. 꼭 가져가야 하는지 다시 한 번 생각해 보길 바라는, 추천하지 않는 장비₂₀₁₆

(1) 여벌의 옷Extra clothing

여벌의 옷에 해당하는 것은 아래와 같다. 마을에서 입을 옷은 좀 심하다 싶지만 실제로 그런 경우를 보기도 했다.

타이즈 등 베이스 레이어Baselayers
여벌의 셔츠Extra shirts
마을에서 입을 옷Town clothes
잠옷Sleeping clothes
여분의 양말&속옷Extra socks/underwear

히맨은 한 벌의 등산 짚업 긴팔티셔츠와 한 벌의 하계 등산바지로 모든 트레일을 걸었다. 불안함에 하나 둘 씩 늘어나는 옷은 하이커의 어깨를 힘들게 할 뿐이다. 각 용도별 한 벌만 가져가도 큰일이 나는 건 아니니 조금은 과감해지자.

(2) 야영 중 신을 신발Camp Shoes

발을 쉬게 해줄 슬리퍼와 같은 신발이다. 꼭 필요한 것은 아니지만 없으면 또 아쉽다. 사이트 구축 후 텐트를 오갈 때마다 신발을 신고 벗는 일은 생각보다 귀찮다. 신발이 젖었을 때 혹은 계곡 등에서의 휴식과 물놀이를 할 때면 꼭 아쉬운 것이 예비 신발이기도 하다. 때문에 활용도가 높아 한 켤레 정도 가져갈 것을 추천한다.*

---

* 히맨의 예비 신발은 이어지는 〈히맨의 PCT 장비〉에서 다룬다.

(3) 양산_{Umbrella}

사막이 뜨겁다는 것은 누구나 아는 사실이다. 양산은 사막구간만 쓰고 버린다는 가정 하에 충분히 고려해볼 만한 장비다. 작은 그늘이라도 있었으면 하고 간절히 원할 때가 분명히 있을 것이다.

(4) 스토브_{Stove}

스토브가 왜 이 목록에 포함이 되어 있는지 잘 이해되지 않는다. 따뜻한 음식이 필요 없다면 스토브를 가져가지 않아도 좋다. 추운 때 작은 스토브의 온기와 따뜻한 차 한 잔이 얼마나 큰 힘이 되는지 경험해보지 않은 사람은 모른다.

(5) 태양광 충전기_{Solar charger}

사막구간에서는 태양광 충전기가 꽤 유용했다. 배낭에 걸쳐놓고 걷다 보면 어느새 보조배터리가 완전히 충전이 되었다. 하지만 사막 구간을 지나서부터는 효율이 많이 떨어진다. 결론적으로 스마트폰, GPS시계, 카메라 정도의 전자 장비를 충전한다는 가정 하에 보급지에서 충전한 보조 배터리로도 충분하다.

(6) 소이어 미니 정수 필터_{Sawyer MINI}

대부분의 하이커들은 소이어 정수 필터를 이용한다. 하지만 정수 속도가 매우 느리고 비교적 많은 힘을 들여야 하는 소이어 미니_{Sawyer MINI}를 추천하지 않는다. 소이어 미니보다 40g 정도 무겁지만 정수 속도가 더 빠른 소이어 스퀴즈_{Sawyer Squeeze}를 이용하는 것이 정신건강에 이롭다.

(7) 타월Towel

장거리 하이커들은 길게는 2~3주간 씻지 못할 때도 있다. 굳이 가져가야 한다면 손수건 크기의 아웃도어용 타월이면 충분하다.

(8) 책Books

PCT에서는 생존에 필요한 것이 아니면 모두 다 버리라고 한다. 거기에 절대 포기할 수 없는 한 가지를 가져가면 충분하다. 그것이 책이라면 가져가도 좋다. 선택과 책임은 하이커 본인의 몫이다.

4.1.3. 장비에 대한 PCT 하이커들의 한 마디*2016

1. 좋은 장비는 그만큼 투자할 만 한 가치가 있다.
Good gear is worth the investment.

2. 가벼울수록 좋다.
Lighter is better.

3. 보온과 방수에 신경을 써라.
Focus on warmth and waterproofing.

4. 내한온도 -12°C 이상의 침낭을 써라.
Get a 10°F / -12°C bag / not a 20°F / -7°C

5. 2인용 텐트를 써라. 공간은 무게를 감수할만한 가치가 있다.
Get a two-person tent, the weight is worth the space

6. 소이어 미니 정수필터는 속도가 매우 느리다.
The Sawyer Mini is too slow - get the Sawyer Squeeze

---

* 추가 설명이 필요한 항목은 〈히맨의 PCT 장비〉에서 후술한다.

4.2. 히맨의 PCT 장비 HE-MAN'S PCT GEAR

■ 배 낭 : Granite Gear Crown V.C. 60

단순히 가벼운 무게와 적당한 용량을 보고 선택했다. 배낭 상단을 제외하고 배낭 내부에 접근할 수 있는 지퍼 등이 없는 형태이기에 처음에는 다소 불편할 수 있다. 하지만 운행 시작 전과 후를 제외하고는 배낭에서 짐을 꺼낼 일은 거의 없기에 큰 문제가 되지 않는다. 허리벨트 보조주머니와 배낭 헤드 주머니를 별도로 판매하는 것이 아쉬운 부분이다. 허리벨트 주머니는 행동식이나 자주 사용하는 물건을 넣기에 좋은데, 히맨은 다른 배낭의 것을 옮겨 달아 활용했다.

장거리 하이킹 배낭의 최우선 선택기준은 무게와 착용감이라 생각한다. 고급스러운 소재와 디자인만을 보고 배낭을 선택했다가는 며칠 지나지 않아 후회할 것이다. 그 외에 신축성 있는 커다란 외부 주머니가 많으면 유용하다. 반투명의 외부 주머니는 접근이 불편한 내부 공간과 배낭의 부족한 용량을 보조한다. 이곳에 보온 의류는 물론 행동식과 물통 등을 꽂고 걷는다. 그들의 뒤에서 걸으면 그들이 어떤 행동식을 선호하는지 알 수 있다.

■ 텐 트 : Zerogram PCT UL2 & 파피용

PCT UL2는 더블월double wall, 파피용은 싱글월single wall텐트이다. 자립형 2인용인 두 텐트는 벽이 두 겹이냐 한 겹이냐의 차이가 있다. 싱글월 텐트가 조금 더 따뜻하고 설치가 간편한 장점이 있는 반면 결로가 잦고 전실이 없다는 단점이 있다. 또한 펙peg을 박지 않아도 뼈대인 폴pole과의 결합만으로도 텐트의 형태가 잡히는 자립형 텐트를 추천한다. 더블월의

월의 경우 한낮의 사우나를 체험할 수 있다.

장거리 하이커에게 텐트는 길게는 6개월간 살 집이다. 집은 피로한 몸의 휴식과 마음의 안정을 주는 공간이어야 한다. 종종 타프만을 가지고 다니는 하이커들을 볼 수 있는데, 그보다는 외부 환경으로부터 보호할 수 있는 텐트를 사용할 것을 권한다. 또한 펙peg을 박지 않아도 뼈대인 폴pole과의 결합만으로도 텐트의 형태가 잡히는 자립형 텐트를 추천한다. 계속 지고 다녀야하기에 그저 넓은 집만 고집할 수는 없지만 그럼에도 역시 집은 넓을수록 좋다. 혼자 쓰는 텐트라도 1인용보다는 1.5~2인용 텐트를 사용하여 공간을 넓게 쓰기를 권한다.

■ 신 발 : 트레일 러닝화Trail running shoes & 알록 스킨 슈즈

1. 미즈노 Wave Ascend 8 (800km)
2. 써코니 Excursion TR7 (1000km)
3. 살로몬 Speed Cross 3 (1000km)
4. HOKA Stinson ATR (1000km)
5. 살로몬 Speed Cross 3 (430km)

히맨이 신은 5개의 트레일 러닝화이며 괄호 안은 각 신발을 신고 걸은 거리이다. 살로몬 스피드크로스 3Speed Cross 3가 히맨에게 가장 잘 맞았다.

거의 모든 PCT 하이커들이 트레일 러닝화를 신고 걷는다. 물론 길의 상태와 기상 여건 등을 고려해야겠지만 트레일 러닝화가 일반적으로 등산화보다 가볍고, 통기성, 유연성이 우수해 장거리 하이킹에 유리하다. 방수를 위해 고어텍스 트레일 러닝화를 신는 경우도 있는데 발목 위로 잠기는 계곡이나 강을 건너는 경우가 많아 큰 의미가 없다. 또한 한 번 젖게 되면 일반 트레일 러닝화에 비해 건조가 느리고 사막구간에서 답답할 수 있다.

- 신발의 과도한 쿠션은 바닥과의 높이를 높이며 좌우로 뒤틀리는 내외 전이 쉽게 발생할 수 있다.

- 설산 및 위험 구간 등 트레일의 상태에 따라 등산화가 필요할 수 있다.

휴식 시 혹은 물에서 신을 예비 신발로는 알록 스킨 슈즈***를 신었다. 아쿠아 슈즈와 유사한 이 신발은 가벼운 것은 물론 납작하게 접을 수 있어 배낭 어디에든 쉽게 넣을 수 있다. 알록달록한 귀여운 디자인으로 외국인 하이커들의 관심을 끌기도 했다. 쿠션이 없는 것이 단점이다.

히맨의 예비 신발 : 알록 스킨 슈즈

■ 침 낭 : Zerogram High Sierra

PCT를 걷기에 딱 적당한 포근함을 제공한다. 침낭은 따뜻하고 안락한 잠자리를 결정하는 가장 핵심적인 장비이다. 고도가 높은 PCT 캘리포니아 중부구간Sierra은 물론 초반 사막구간에서도 해가 지면 대체적으로 쌀쌀한 편이다. 극한의 동계용 침낭이 필요한 것은 아니지만 적어도 초겨울까지 무난히 쓸 수 있는 내한온도 -9℃ 이상의 스펙을 갖춘 침낭을 선택할 것.

설문조사*에 따르면 자신의 침낭이 춥다고 느낀 하이커들의 침낭 평균 내한온도는 -5.5℃이며, PCT 완주자들이 사용한 침낭의 평균내한온도는 -8℃ 이다.

---

* Halfwayanywhere**의 PCT 하이커 설문 (2017년**/2016년**)

■ 발포 매트리스

5년 동안 사용하던 롤 형태의 발포 매트리스를 사용했다. 바닥의 냉기를 아주 잘 막아주진 못했지만 큰 불편 없이 잘 사용했다. 개인차가 있지만 성능이 좋은 발포 매트리스면 충분하다는 생각이다. 롤 형태보다는 신속하게 펴고 접을 수 있는 접이식 매트리스 사용을 권한다.

에어 매트리스는 발포 매트리스보다 훨씬 푹신하고 따뜻한 것이 꼭 침대 같은 느낌을 준다. 하지만 매번 공기를 주입하고 배출해야하는 번거로움이 있으며, 내구성 또한 발포 매트리스보다는 약하다. 운행 중 쉬는 시간마다 바로 꺼내 쓰는 방석으로 쓰기에도 불편함이 있다.

■ 스 틱 : Kolon Sport RAPTOR

장거리 하이킹에 있어서 스틱은 꼭 필요한 장비다. 체력소모를 줄여주고 물살이 센 계곡에서 위험으로부터 지켜줄 수 있다.

■ 수낭&수통 : Platypus Hoser 3L & Nalgene bottle 1L

3L의 수낭과 1L의 수통을 사용했다. 운행 중 물을 마시기 위해 배낭을 내리고 수통을 꺼내는 건 상당히 비효율적이다. 수낭을 이용할 경우 걷다가 호스를 입에 물고 빨아 마시면 그만이다. 또한 사이트 구축 후 많은 양의 물을 급수지에서 받아 올 경우에도 대용량의 수낭은 유용하게 쓰인다.

날진Nalgene은 수통의 대명사로 불릴 정도로 아웃도어에서 널리 쓰인다. 내구성이 우수하며 입구가 넓어 편리하다. 일반 페트병과 달리 뜨거운 물을 부을 수 있으며 이를 이용하여 침낭 내부를 데우는 난로로 활용하기도 한다. 이 외에 많은 PCT 하이커들이 스마트 워터Smart water 물통을 활용한다. 마트에서 파는 흔한 생수라고 보면 되겠다. 길쭉한 형태로 배낭포켓에 넣고 빼기가 용이하며 내구성이 좋아 정수필터 운용 시 물통을 눌러 짜내기에 좋다. 무엇보다 구하기 쉽고 저렴하다.

수낭은 2.0~2.5L 정도의 용량이면 충분하며, 여기에 1~1.5L 정도의 수통을 따로 운용하는 것을 추천한다. 히맨은 수낭에 운행 중 마실 물 그리고 수통에는 음식 조리에 사용할 물로 분리하여 휴대했다.

■ 정수 : Aqua tab

정수필터 대신 정수 정제aqua tab를 챙겨갔다. 대부분 정수를 하지 않았고 고인 물이나 육안으로 오염이 확인 될 경우에만 정수 정제를 이용했다. 20~30분 정도의 대기시간은 큰 문제가 되지 않았지만, 소독약 냄새가 나며 이물질을 걸러내지는 못 하는 큰 단점이 있다. 불순물이 보일 경우에는 소이어Sawyer 정수필터를 빌려 정수하였는데, 전체 일정 중 3~4회 정도에 불과하다.

하지만 설문조사*에 따르면 정수를 하는 하이커의 비율은 매년 높아지고 있으며, 2017년에는 전체 하이커의 58%가 항상 정수를 했다. 히맨 또한 정수하는 것을 추천한다.

---

* Halfwayanywhere**의 PCT 하이커 설문 (2017년**/2016년**)

■ 의 류

**긴 팔 하계 등산 티셔츠
하계 등산 바지
경량 다운 재킷
고어텍스 재킷
타이즈**_{tights}
러닝 쇼트_{running shorts}
**하계 등산 장갑
멀티스카프(버프**_{Buff}**)
비니**_{beanie}
바라클라바_{balaclava}

PCT에서 입은 주요 의류를 정리하면 왼쪽과 같다. 의류 선택 전 <u>PCT 기온 그래프</u>**를 통해 PCT의 대략적인 기온을 파악했다. NOBO_{northbound} 기준으로 기온이 영하인 경우는 전체 일정의 9% 이며, 최저 기온은 -4℃로 대체로 따뜻하거나 더운 날씨임을 알 수 있었다. 이것을 기준으로 의류를 선택했다.

(1) 운행 중 의류

며칠을 제외하곤 PCT를 걷는 내내 얇은 긴팔 짚업 티셔츠 하나와 하계 등산 바지 하나만을 입었다. 여기에 날씨에 따라 경량 다운 재킷과 고어텍스 재킷을 입었다. 하계 등산 티셔츠는 통풍이 잘 되는 것은 물론이고 신축성이 좋아 팔을 쉽게 걷을 수 있었다. 또한 지퍼를 여닫으며 체온을 조절할 수 있는 것이 장점이다. 하계 등산 바지는 나뭇가지나 가시덤불로 인한 긁힘과 상처로부터 다리를 보호해주었다. 또한 강한 햇볕으로부터도 보호할 수 있었다. 쇼트나 반바지를 입는 하이커들도 적지 않지만 이러한 이유로 긴 바지를 권한다.

5년간 입던 경량 다운 재킷은 그럭저럭 체온을 지켜주었고, 고어텍스 재킷 또한 사용하던 것을 가져갔다. 가벼운 고어텍스 소재인 팩라이트 쉘_{Paclite Shell}로 만들어져 매일 부담 없이 입을 수 있었다. 꼭 고어텍스일 필요는 없으며 방수 및 방풍이 되는 가벼운 바람막이 재킷이면 충분하다.

멀티스카프의 대명사인 버프buff를 목에 두르고 운행 중 체온 유지를 했다. 두건이나 수건으로도 사용가능하여 매우 활용도가 높다.

얇은 등산장갑은 보온은 물론 손을 보호하는 역할을 한다. 교체 없이 장갑 하나로 모든 일정을 소화했는데, 손가락 끝에 구멍이 나는 것을 피할 수 없었지만 큰 문제가 되지는 않았다.

(2) 운행 후 의류

타이즈는 체온 유지용 잠옷으로 주로 활용했으며 날씨에 따라 운행 시에도 착용했다. 러닝쇼트는 운행을 마친 후 활동 시에 주로 입었으며 마을에서의 예비일에는 간편한 외출복이 되어주었다.

마치 닌자와 같이 머리와 목을 덮어주는 바라클라바는 개인적으로 애용하는 아이템이다. 매일 밤 떨어지는 체온을 막아주는 데 큰 도움을 주었다.

운행을 마치고 주로 입은 하의

■ 스토브 : Fire-maple FMS-116T

장거리 하이커들의 스토브는 대게 소형 스토브와 제트보일Jetboil 형태의 두 종류로 나뉜다.

허맨은 48g의 소형 스토브를 선택하여 매우 잘 사용했다. 작고 가벼워 패킹에 부담이 없으며 화력 또한 1인분을 조리하기에 부족하지 않았다. 일반적으로 많이 쓰는 230g 이소 가스Iso gas 하나로 2주 동안 사용할 수 있었다. 점화기가 달려있지 않아 가끔 불편했던 것을 제외하면 가격대비 훌륭한 성능을 보여줬다.

제트보일은 코펠과 스토브가 붙어 있는 형태로 바람 등의 외부 영향이 적어 열효율이 좋은 것이 장점이다. 그만큼 빨리 물을 끓일 수 있어 가스를 절약할 수 있다. 230g 이소 가스 하나로 한 달을 사용하는 경우도 있다. 다만 소형 스토브에 비해 크고 무거우며, 다른 코펠의 사용이 불편한 것이 단점이다. 단순히 끓인 물만을 필요로 한다면 추천한다.

- 가스 사용량은 하이커마다 차이가 크지만, 대부분의 보급지에서 어렵지 않게 가스를 구할 수 있어 큰 문제가 되지 않는다. 따라서 가스 구매비와 본인의 식단을 고려하여 적합한 스토브를 고르면 된다.

- 스토브에 점화기가 달려 있더라도 별도의 점화기나 라이터를 준비할 것.

■ 전 자 장 비

(1) 스마트폰 : iPhone 4

운행 중 PCT 애플리케이션 사용, 외부 연락 및 정보 검색, 간단한 사진촬영에 사용했다.

전화와 데이터 이용을 위해 현지 유심usim을 구매했으나 결론적으로 사용하지 못하고 보급지의 와이파이만을 사용했다. 4~5일에 한번 와이파이를 사용하는 것만으로도 큰 불편함은 느끼지 못했다.

(2) 태블릿 : new iPAD (3세대)

아이패드는 도난당하기 전까지 135일 동안 히맨의 PCT 모든 기록을 담당했다. 무거운 무게와 부피로 인해 PCT 출발 전까지 고민했으나, 아이패드가 없었으면 지금의 기록은 상상할 수 없을 정도로 아이패드는 핵심적인 기록도구였다. 큰 화면을 통해 매일의 운행기록을 빠르게 정리할 수 있었고 PDF 지도를 살펴보며 운행 계획을 세우는데도 유용했다. 운행 후 스마트폰을 대신하여 사용하며 스마트폰 배터리 소모를 줄이는 효과도 볼 수 있었다.

- PCT 하이커가 아닌 외부인들이 많은 장소에서는 특히 도난 및 분실에 유의할 것.

(3) GPS 시계 : Garmin Fenix 2

운행 중 소요시간, 운행거리와 속도를 확인하는데 사용했다. 또한 운행 경로를 GPS 파일로 남겼으며, PCT 주요 포인트의 위치를 기록해주는 웨이포인트waypoint 기능을 주로 활용했다.

- GPS 기능을 수시로 사용한다면 필히 배터리 사용시간이 긴 제품을 선택할 것.

(4) 카메라 : Gopro Hero 4 silver

액션캠인 고프로를 유일한 카메라로 사용하며 영상과 사진 기록을 남겼다. 무거운 카메라는 질색인 하이커에게 강하게 추천한다. 폴 마운트 pole mount를 이용하여 등산스틱에 고프로를 달아두면 운행 중 나타나는 다양한 환경과 이벤트들을 빠르게 담을 수 있다. 등산스틱을 사용하지 않을 때는 집게 마운트를 이용하여 휴대하며 다양하게 활용할 수 있다.

- 고프로 Hero 4 silver부터 작은 LCD 터치스크린이 탑재되었는데, 촬영된 결과물을 바로 확인할 수 있는 것이 가장 큰 장점이다. 이것만으로도 고프로를 선택해야 하는 이유는 충분하다. 또한 Hero 5부터 추가된 자체 방수와 음성명령 기능은 장거리 하이커에게 매우 유용하다.

- 사진을 주로 찍을 계획이라면 다른 카메라를 가져갈 것. 혹은 스마트폰으로 찍는 것이 더 낫다.

(4) 외장HDD : Wevo airdisk(1TB)
Micro SD : SanDisk Extreme 64GB

애플리케이션과 연결하여 자체 백업이 가능한 외장 하드디스크HDD 케이스를 사용했다. 하지만 결론적으로 파일 전송 속도가 느리고 오류가 잦으며 불안정하다. 결국은 도중에 케이스에 문제가 생겼고, 추가비용을 들여 교체해야만 했다. 다행인 것은 중간에 만날 수 있는 대부분의 마을에 컴퓨터 사용이 가능한 도서관이 있다는 것과, 64GB의 Micro SD 카드 두 개로 백업 없이 한 달간 촬영을 할 수 있었던 것이다.

- 예산이 넉넉하다면 하드디스크보다 가볍고 작으며 전송 속도까지 빠른 SSD를 추천한다. 클라우드 서비스를 이용하거나 혹은 클라우드보다 안정적이고 빠른 개인용 NAS_{Network Attached Storage}를 구축하는 방법도 있다.

(5) 보조 배터리 / 태양광 충전기 : Goalzero Nomad 7

산속에서의 충전이 걱정이었던 히맨은 태양광 충전기로 보조배터리를 충전하여 사용했다. 위에서 언급했듯 태양광 충전기는 사막에서는 매우 효율이 좋았지만 이후 활용도가 떨어져 더는 사용하지 않았다.

보급지에서 보조배터리를 충전해서 사용하는 것만으로도 충분히 다음 보급지까지의 4~5일을 버틸 수 있었다. 전자장비의 스펙과 사용빈도에 따라 차이가 있지만 대게 10,000mAh이상의 보조배터리면 충분하다. 물론 배터리의 용량은 클수록 좋지만 부피와 무게를 따져볼 것.

(6) 기타 액세서리

- USB 멀티 포트

출발 전 대형마트에서 구입한 USB 멀티 포트를 정말 유용하게 썼다.

보급지에 도착한 PCT 하이커들이 먹을 것과 동시에 가장 많이 찾는 것이 콘센트이다. 충전할 기기들은 많은데 콘센트는 부족하다. 그야말로 콘센트 대란이다. 콘센트에 여유가 있다 하더라도 이를 모두 독차지하는 것은 예의가 아니다. 이럴 때 필요한 것이 USB 멀티 포트이다. 4개의 USB 단자를 통해 스마트폰, 카메라, 태블릿, GPS시계를 동시에 충전할 수 있었다. 남는 단자는 다른 하이커들에게 베풀 수 있는 것도 장점이라면 장점.

■ 방수 : 캠핑박스 울트라라이트 드라이색 12L/24L

드라이색Dry sack은 내용물을 물로부터 보호하는 일종의 방수 주머니이다. 히맨은 드라이색으로 내부 방수처리를 하고 배낭 레인커버를 따로 사용하지 않았다.

걷다보면 강이나 계곡을 건너야 할 상황이 무수히 많다. 강한 물살에 넘어지는 건 누구나 피하고 싶지만 가끔은 그런 일이 일어나기도 한다. 4~6개월 동안의 날씨 또한 항상 화창할리 없다. 폭우나 폭설이 내릴 때면 온 몸은 물론 장비까지 흠뻑 젖게 된다. 이럴 때면 배낭이 젖는 것보다 가장 걱정되는 것이 내 포근한 침낭과 전자 장비들의 생사(?)여부다. 이러한 참사를 막기 위해 하이커들은 방수대책을 강구한다.

레인커버로는 부족하기에 김장비닐 등을 사용하여 배낭 내부를 보호하기도 하는데 개인적으로 드라이색을 사용할 것을 추천한다. 젖을 우려가 있는 의류는 물론 침낭까지도 대용량의 드라이색 하나면 충분히 물로부터 보호할 수 있다. 작은 사이즈의 드라이색에는 지갑과 전자기기 등을 보관하며 보급지나 마을에서 핸드백 용도로도 활용이 가능하다. 또한 취침 시 훌륭한 베개도 되어 준다. 가끔씩 바닥에서 올라오는 한기를 참을 수 없을 때 큰 드라이색을 매트리스와 침낭 사이에 깔아 주기도 한다.

■ 곰통 : BV500

가장 많은 PCT 하이커들이 사용하는 곰통Bear Canister인 BV500***를 사용했다.

곰통은 곰으로부터 하이커의 안전과 식량을 지키는 일종

의 식량 보관 용기이다. PCT 캘리포니아 중부 구간의 대부분지역에서 의무적으로 곰통을 사용할 것을 규정하고 있다. 따라서 해당 지역과 관련 내용을 확인하여 알맞은 곰통과 식량을 준비해야한다. 대략 PCT 캘리포니아 중부의 초반 구간인 시에라 남부부터 사용한다고 볼 수 있다. 때문에 많은 하이커들이 바로 직전의 보급지인 케네디 메도우즈에서 곰통을 구매한다.

• 곰통이 필요한 지역**

미국 흑곰American Bear Bear

PCT에서는 뱀, 사슴 등 많은 야생동물을 만나게 되는데, 그중 최상위 포식자는 단연 곰이다. PCT에 주로 서식하는 곰은 흑곰이다.* 이들은 다행히도 온순하며 사람을 보면 대부분 도망간다. 실제로 서너 번 흑곰을 마주쳤지만 모두 눈 깜짝할 사이에 도망 가버렸다. 다만 호기심이 많고 위협을 느끼게 되면 공격성을 띨 수 있다. 나무를 매우 잘 타며 최대 시속 48km로 매우 빠르게 달릴 수 있기 때문에 곰을 만날 경우 자극하지 않도록 주의한다.

- 소음 등을 발생하여 사람이 지나가고 있다는 것을 미리 인지시켜주는 것이 좋으며, 곰을 만날 경우 다가가지 말고 소리를 지르거나 소음을 발생하여 곰이 도망가도록 한다. 또한 절대 곰에게 먹이를 주지 않도록 한다.

---

* 캘리포니아 주기state flag에 그려진 곰은 흑곰이 아닌 회색 곰인 그리즐리Grizzly이다. 캘리포니아의 마지막 그리즐리는 1922년 세쿼이아 국립공원 근처에서 사살되면서 자취를 감추었다.

- 식량은 물론 비누와 치약, 선크림과 화장품 등을 포함한 향이 있는 모든 것을 곰통 안에 보관하여야 한다.

- 야영 시에는 뚜껑이 확실히 닫혀있는지 확인한 후 곰통을 텐트에서 약 15미터50feet 떨어뜨려놓는다. 식량의 유실을 방지하기 위해 절벽이나 물가를 피하여 시야가 트인 평평한 곳에 두는 것이 좋다.

"오만가지 생각"

나는 아직도 버리지 못한 것들이 없다.

기록에 대한 집착

나는 기록을 중요하지 생각한다. 생각난 적은 일기보다는

히 나의 일, 행동 사건 등을 적은 기록들을 더

요하게 생각한다.

5. PCT 기록

먼저 히맨은 기록벽이 있다는 것을 밝혀둔다. 누구보다 기록에 미쳐있었다고 자신한다. 기록하지 않는 순간은 내가 쓰러져 정신을 잃었을 때 뿐 이라는 비장한 각오로 기록했다.(한두 번 정말 정신력이 바닥나 기록을 놓기는 했다.)

〈PCT 하이커 되기〉는 6개월간 그 길에서 그리고 그 이후 2년간 피땀 흘려 기록한 것을 정리한 일종의 보고서이기도 하다.

꼭 기록을 해야 하는 것은 아니다. 기록여부는 물론 그 방법 또한 하이커 본인의 선택이다. 하지만 기록을 택했다면 기록 과정에서 오는 스트레스를 감당해야 할지도 모른다.

7/31

1. 난 정말 치열하게 사는 것 같다.

   속이 아픈 이 순간에도 기록을 해야겠다며
   이러고 있다...
   아식 아무것도 안하고 그냥 휴식을 좀 취하고 싶어
   여기 온 것도 있는데...

"

걷기도 힘든데 기록까지 하라고? 미친 짓이야!

나는 이 길을 자유롭게 즐길 거야.

하지만 당신의 주변사람들은 이 길을 선택한 당신을 이미 미쳤다고 생각할지도 모른다. 그러니 한번 제대로 미쳐보는 것도 나쁘진 않겠다. 힘든 기록 과정 속에서 태어난 당신의 기록은 세상 무엇과도 바꿀 수 없는 소중한 추억이 될 것이라 확신한다.

기록에 정답은 없다. 영상이나 사진, 그림, 일기 등 PCT를 기록하는 방법은 다양하다.(다른 하이커들의 다양한 기록들을 링크리스트**를 통해 공유하니 꼭 살펴보기 바란다.)

그럼 지금부터 PCT를 기록하고자 하는 사람들을 위한 히맨의 PCT 기록방법과 팁에 대해 전한다.

• 히맨의 PCT 운행기록***

5.1. PCT 운행 기록

(1) 수기 & 타이핑

- 운행 출발시간/종료시간/쉬는 시간
- 출발지점/종료지점/운행거리/운행시간
- 운행 중 섭취한 물의 양

PCT 초반 일주일 정도 작은 노트를 배낭에 달고 다니며 펜으로 운행 기록을 했다. 익숙한 기록 방법이었으나 장거리를 운행하며 매번 펜을 꺼내고 페이지를 넘기는 일은 그야말로 극한의 작업이었다. 무엇보다 비가 젖어 종이가 달라붙고 잉크가 번져 알아볼 수 없게 되었다. 이후 스마트폰 메모장을 이용하여 기록하기 시작했다. 훨씬 빠른 기록이 가능하며, 기록 정리 시에도 매우 효율적으로 작업을 할 수 있었다.

체계적인 기록을 남기고 싶다면 구글의 스프레드시트를 이용하면 좋다. 입력한 운행 기록을 바탕으로 누적 운행 거리, 시간 등을 빠르게 계산할 수 있다. 이는 향후 운행을 계획하는 데 큰 도움이 된다. 오프라인 상태에서 스프레드시트에 기록하면 이후 인터넷 연결 시 자동으로 온라인에 업로드 되므로 만약의 사고로부터 기록을 보호할 수 있다. 인터넷이 가능한 보급지에서 자동으로 백업이 되는 셈이다.

손으로 쓰는 것을 선호한다면 아웃도어용 노트 사용을 권한다. 물에 젖지 않아 번지거나 달라붙어 찢어지는 것을 막을 수 있다.

소설 〈와일드〉에서 영감을 받아 운행 중 섭취한 물의 양을 기록했다. 출발 전과 운행 종료 후 수낭 눈금의 차를 확인하여 기록하였다. 수분 섭취 패턴을 알 수 있었으며, 특히 급수에 신경 써야 하는 사막 구간에서 필요한 급수 량 예측에 도움이 되었다.

(2) 영상 및 사진

- 출발/종료/특이사항 보고 영상
- 운행 코스 주요 영상

"
10월 7일 175일 차 07시 57분입니다

매일 출발 위치와 운행 계획에 대해 영상으로 보고했다. 운행 종료 후에는 도착지점과 이동거리, 소요시간 등을 보고했다. 이 외에 운행 중 특이사항이 있을 경우 영상 보고를 남겼다.

항상 날짜와 PCT 며칠 차인지 그리고 시간을 육성으로 기록했다. 당시의 기억을 그대로 되살려 주며 영상에 현장감을 준다. 또한 촬영 기기의 날짜 설정이 뒤틀려 영상 촬영 일시가 실제와 다를 경우에도 매우 유용하다.

영상이나 사진의 위치가 자동으로 기록되도록 카메라의 GPS 기능사용을 켜두는 것이 좋다. 이는 영상이나 사진만으로도 지도를 만들 수 있도록 해준다. 실제 잤던 사이트의 모습을 지도에서 사진으로 확인할 수 있을 것이다.

클라우드 서비스나 외장 하드 디스크 등의 저장 공간에 수시로 백업하여 촬영 용량을 확보하고 분실에 대비한다. 날짜 및 주제별 폴더로 분류하는 것도 좋지만 주제 별 분류 시 중복 파일이 많아져 정리가 힘들다. 촬영 직후 혹은 백업 시 각 영상 및 사진에 태그나 간단한 설명을 입력해 두면 추후 정리에 매우 유리하다.

(3) GPS 기록

- 운행거리 / GPS 이동 경로
- 텐트 사이트 및 주요 지점 좌표
- PCT 애플리케이션 캡처

"
현재 시간당 6km 넘는 속도로 운행 중입니다

GPS 시계를 이용하여 기록했다. 매일 걸은 길을 GPS트랙으로 기록하여 이동 경로를 확인하고 하나로 모아 PCT 전체 GPS 트랙을 만들고자 했다. 하지만 출발 시 버튼을 누르고 쉬는 시간 및 종료 시 다시 버튼을 누르면 되는 작업은 간단하면서도 힘든 일이었다. 또한 배터리 등의 기술적 문제로 완전한 트랙을 만드는 데는 실패했다. 특히 이메일을 통해 백업을 했던 첨부파일의 다운로드 유효기간이 지나버리는 바람에 힘겹게 기록한 한 달간 데이터를 잃게 됐을 때가 가장 마음이 아팠다. 가능하면 클라우드 등을 이용하여 수시로 백업하기를 바란다.

텐트 사이트 및 주요 지점을 GPS 시계의 웨이포인트 기능을 이용하여 좌표를 기록했다. 분명 유용한 기능이기는 하지만 이후 활용도가 떨어져 추천하지 않는다. 스마트폰을 이용하여 사진을 찍거나 관련 앱을 이용하여 포인트를 기록하는 것이 효율적이다.

하프마일 PCT 애플리케이션halfmile PCT을 통해 운행 거리 및 현재 위치를 파악할 수 있다. 도착 사이트의 위치와 100km를 걸을 때마다 표시되는 화면을 캡처하여 모았다.

TH2116	PCT km 4101.44, Miners Ridge Trail junction	PCT km 4265.33, Castle Creek, wooden bridg...
5.26, Huckleberry Mountain Trail #...	↑ Points Trail North ↑	↑ Points Trail North ↑
Points Trail North ↑	Your Position: PCT km 4100.00	Your Position: PCT km 4264.96
osition: PCT km 3400.00	↓ Points Trail South ↓	↓ Points Trail South ↓
Points Trail South ↓	S 0.11 km WA2548	S 0.04 km Monument7...
WACS2112	PCT km 4099.88, Large creek	PCT km 4264.92, Monument 78, Canadian/US...
9.11, Stream, small campsite near...	S 1.56 km WA2547	S 0.68 km WA265...
PL2112	PCT km 4098.44, Miners Creek, small wooden...	PCT km 4264.28, Seasonal creek
8.65, High voltage power line	S 1.62 km CS2547	S 1.49 km WA264...
RD2112	PCT km 4008.38, Large campsite	PCT km 4263.47, Seasonal creek

5.2. PCT 생활 기록

(1) 수기 & 타이핑

- 조식/중식/석식/생리현상
- 일기

길을 걸으며 먹은 것들을 스프레드시트에 상세히 기록했다. 조금 이상하게 보일지 모르겠지만 대소변 횟수도 기록했다. 할 수 있는 모든 기록을 하고 싶어 시작한 이 기록을 통해 대략적인 바이오리듬을 확인 할 수 있었다.

매일 텐트 안에서 일기를 수기로 적었다. 하루 운행을 돌아보며 걸으며 떠오른 생각과 새로운 아이디어를 담았다. 매일 밤 피곤한 상태에서 적는 것이 쉽지 않아 종종 스마트폰으로 적은 후 옮겨 적기도 했고, 상세한 내용은 영상 일기로 남겼다. 텐트 안이나 숙소에서 주로 쓰게 되는 일기장은 대부분 일반 다이어리의 형태일 것이다. 지퍼백 등을 이용하여 방수에 신경 쓰도록 한다. 여기에 드라이 색까지 사용하면 물에 젖는 일은 없을 것이다.

(2) 영상 및 사진

- 영상일기
- 떠오른 생각/새로운 아이디어

수기 일기와 별도로 조금 더 깊은 생각과 상세한 운행 리뷰를 영상 일기로 남겼다. 또한 글로 남기기에는 한계가 있는 운행 도중 떠오르는 다양한 생각과 아이디어를 떠오를 때마다 바로바로 영상으로 기록했다.

운행기록과 마찬가지로 주제 및 내용을 태그 등으로 입력해두면 좋다.

(3) 수입·지출 기록

- 영수증 수집

- 수입·지출내역 기록

현금 및 카드 결제 영수증을 수집했다. 영수증 내용을 바탕으로 스프레드시트에 수입 및 지출 내역을 기록했다. 길을 마친 후 영수증 원본을 스캔하여 파일로 보관하고 클리어 파일에 철했다.

영수증은 대게 감열지로 시간이 흐르면 흐려져 내용을 알아보기 힘들다. 영수증을 받는 즉시 날짜와 지출 금액을 펜으로 적어두면 정리하기 편하다.

많은 양의 영수증을 가지고 다니다보면 짐이 되기도 하며 무엇보다 분실의 위험이 있다. 히맨이 지갑을 분실했을 때 가장 아쉬웠던 것은 현금과 카드가 아닌 함께 들어있던 한 달간 모은 영수증들이었다. 따라서 그때그때 스캔 애플리케이션 등을 이용하여 파일로 보관하는 것을 추천한다.

(4) 수집 기록

- 항공권, 비자 서류 등 PCT 준비 관련 기록
- PCT 브로셔 및 엽서, 스티커, 배지 등 기념품
- 지인들의 응원 편지, 라디오 등 매체 기록
- 운행 중 작성한 메시지

항공권과 비자 인터뷰를 위해 준비한 서류는 물론 미국대사관에서 인터뷰를 대기하며 받은 번호표까지 모아두었다. 준비하며 작성한 제안 목록과 관련 진행상황을 정리한 파일들은 준비과정을 되돌아보고 공유하는 데 도움이 되었다.

PCT를 걷고 돌아왔음에도 PCT에 대해 정확히 알지는 못했다. 그때 걸으며 모은 브로셔 등의 기록들이 큰 도움이 되었다. 라디오에 소개된 우리의 사연도 녹음하여 소장하고 있다. 이와 함께 지인들로 받은 응원의 편지들을 모두 스캔한 PDF파일은 언제나 힘이 되어준다.

함께 PCT를 걸은 희종이 형에게 운행 중에 쓴 메시지들도 그대로 모아두었다. 그때의 긴박했던 상황과 느낌을 그대로 전달받을 수 있어 좋다. 혹은 돌아보면 별거 아닌 일이었다는 것을 뒤늦게 깨닫기도 한다.

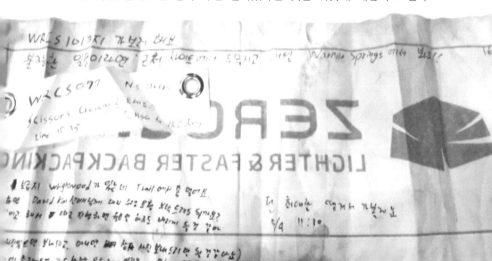

PCT 4일 차.
텐트 안에서 운행 기록 양식 구상 중

5.3. 기록 정리하기

: PCT 하이커 히맨의 6개월을 돌아보고 또 돌아보다.

가장 먼저 한 작업은 PCT에서 찍은 영상과 사진을 날짜별로 분류하는 것이었다. 동시에 수기 다이어리 타이핑 작업을 했다. 수입·지출 기록을 바탕으로 PCT 비용에 대한 정산도 진행되었다.

영상과 사진에 날짜별 주제별 태그를 생각날 때마다 달았다. 유튜브를 통해 영상 편집 프로그램인 프리미어를 공부하면서 본격적인 영상 편집이 시작되었다. PCT에서의 일상을 하루하루 주요 영상으로 편집하기 시작했다. 이 작업을 마무리하기까지 8개월이 걸렸다.

텐트 안에서 나를 보다.

PcT diary

길 위에서의 일상.

PCT vlog

PCT를 어떻게 하면 시각적으로 표현할 수 있을까 고민한 끝에 10일간 수많은 시행착오를 거쳐 1분 분량의 인트로 영상을 만들 수 있었다. 히맨의 첫 공식 영상이기도 하다. 일상 영상에 이어 시작한 영상 다이어리의 자막 작업은 아직도 진행 중이다.

PCT를 주제로 산악잡지에 6개월간 연재하게 되면서 PCT 정보와 준비과정에 대해서도 다시 되돌아볼 필요성을 느꼈다. 〈PCT 하이커 되기〉는 이 과정에서 탄생했다. 그 과정에서 만들어진 정보들을 다음 한국인 PCT 하이커들을 위해 공유하면 좋겠다는 생각이 들었고, 연재 이후에도 영상과 글 등의 PCT 콘텐츠를 지속해서 생산했다.

덕분에 '브런치'라는 플랫폼에서 진행한 〈브런치 북 프로젝트#3〉에서 은상을 수상할 수 있었다.(세 번째 시도 만에 드디어!) 상을 타기 위해 글을 정리한 것은 아니지만, 이 상은 내가 지치지 않고 작업을 지속할 수 있도록 하는데 큰 힘을 주었다. 무엇보다 고생하여 만든 콘텐츠에 달린 응원과 관심의 댓글 하나하나가 모두 히맨에게 소중한 기록이다.

(그렇다. 2년간의 고생을 알아달라는 잠깐의 자랑이었다.)

6. PCT 용어 및 지도 약어

PCT를 걸으며 주로 듣고 쓰게 될 용어와 지도 약어들을 정리한다.

6.1. PCT 용어Glossary

(1) 장거리 하이커 (Long-distance hiker)

1600km1000mile이 넘는 길이의 장거리 트레일Long-distance trail을 걷는 도보 여행자를 장거리 하이커라 한다.

45일차. 케네디 메도우즈로 향하는 PCT 장거리 하이커들.

(2) 스루 하이킹 (Thru-hiking)

장거리 트레일의 시작 지점부터 끝 지점까지 한 번에(한 시즌 안에) 걷는 것을 스루 하이킹Thru-Hiking **이라 한다.

스루 하이킹과 완주에 대한 개념은 하이커들 사이에서도 의견이 분분하다. 다만 장거리 트레일의 모든 길을 끊김없이 걷는 일이 결코 쉽지 않다는 것은 분명하다. 장거리 트레일에서는 화재와 폭설 등을 포함한 천재지변과 부상 등의 변수가 많다. 개인이 통제할 수 없는 이러한 변수들로 인해 스루 하이킹을 포기하는 경우가 많다. 때문에 운도 따라줘야 하는 것이 스루 하이커Thru-hiker들의 숙명이다.

(3) 제로데이 (Zero Day)

운행을 하지 않는 예비일을 말한다. 대게 마을에서의 보급 및 휴식을 위해 제로데이를 갖는다. 장거리 하이커들에게 제로데이는 걷는 일상에서 벗어나는 일탈이기도 하다.

42일차 레이크 이자벨라에서의 제로데이.

(4) 트레일 엔젤 (Trail Angel)

트레일을 걷는 하이커를 도와주는 사람. 트레일을 걷다 보면 시원한 음료를 주기도 하고 때로는 자신의 집을 하이커들에게 내주는 수많은 트레일 엔젤들을 만나게 된다.

도움이 필요한 경우 혹은 응급상황 시 대처할 수 있도록 트레일 엔젤 리스트 등을 사전에 확보하여 소지하는 것이 좋다.

• 트레일 엔젤 리스트 홈페이지trailangelist.org**

(5) 트레일 매직 (Trail Magic)

길 위에서의 예상치 못한 도움
을 보통 트레일 매직이라 할 수
있다. 혹은 트레일 엔젤의 마법
같은 도움을 일컫는다. 뜨거운 사
막에서 우연히 마주치는 얼음 가
득한 아이스박스 속 콜라라고 하
면 이해가 쉬울지 모르겠다.

오리건에서의 첫 트레일 매직

PCT에서는 길에서 처음 만난 외국인의 집에 초대를 받는 등의 다양
한 트레일 매직을 경험할 수 있다.

(6) 트리플 크라운 (Triple Crown)

미국의 3대 장거리 트레일인 퍼시픽 크레스트 트레일PCT, 콘티넨탈 디
바이드 트레일CDT, 애팔래치아 트레일AT을 모두 완주하는 것을 트리플
크라운이라 한다.

우리나라에서는 윤은중 님이 2016년 CDT를 완주하면서 최초로 트리
플 크라운을 완성했다. 또한 한 해안에One calendar year 트리플 크라운을
달성하는 것을 캘린더 트리플 크라운Calendar triple crown이라 부르며, 현재
까지 2명이 성공한 것으로 전해진다.

- Flyin' Brian's Calendar Triple Crown**
- Squeaky's Calendar Triple Crown**

(7) 요요 (Yo Yo)

트레일을 한 방향으로 완주한 후, 걸어온 길을 되돌아 한 번 더 걸어 완주하는 것을 요요라고 한다. 줄을 따라 오르내리는 장난감 요요를 생각하면 되겠다. 현재 PCT 요요를 성공한 하이커는 2명으로 전해진다.

(8) 워터리포트 (The Water Report)

워터리포트는 PCT 급수지의 위치와 상태를 알 수 있는 자료이다.

장거리 하이커에게 물은 그 무엇보다 소중하다. 특히 사막 구간에서는 아무리 강조해도 지나치지 않다. 때문에 수시로 급수지 위치와 상태를 확인하는데, 지도상의 급수지라도 종종 물이 마르거나 찾기 힘든 경우가 있다. 워터리포트는 급수지를 직접 확인한 하이커들의 보고들로 이루어져 있어 비교적 최근의 급수지 상태를 알 수 있다. 주기적으로 업데이트 되는 워터리포트를 다운받아 수시로 확인하며 운행을 하는 것이 좋다.

- 워터리포트 Water Report **

Pacific Crest Trail Water Report -- Part One : Campo to Idyllwild

Campo, CA to Idyllwild, CA

Updated 11:03

www.p

Never rely on water caches!!! With the increase in the number of hikers, it's virtually impossible for anyone to maintain a cache that has enough water (for more info visit http://www.pcta.org/2015/problem-water-caches-pct-27677/). Also, to reduce the impact at pop camping sites that offer natural water sources please consider dry camping (for more info visit http://www.pcta.org/2015/dry-campi from-water-30263/).

Send email updates to water@pctwater.com or phone/text 619-734-7289 or 619-734-PCTW [voice mail/text only, no one will answer]. Water are compiled from email updates, posts to the PCT-L, on-line trail journals, and other on-the-ground reports. Mileages and waypoint names us water report are from Halfmile's PCT maps [www.pctmap.net]. Please send photos & videos of water sources, fires, passes, Poodle Dog Bus stream creek crossings to our Facebook page called "PCT Water,Fire,Passes,Fords Update Group"

Beware of contaminated water. Things that could make you sick are too small to see. You don't know if a dead carcass was just removed from t tank/spring/creek or what's hidden upstream. Purify backcountry water. Close lids on springs and tanks to protect water quality.

Take fire safety seriously. Generally, there will be strong fire restrictions in place this summer. Campfires might be banned. Alcohol stoves and may also be banned. Make do without and use extreme caution if allowed. Rules change as you cross agency boundaries. Don't be the one that the trail. Alcohol stoves start fires – go stoveless or carry a stove with a contained fuel source and a shut-off valve.

Water sources with blue text [marked with * or **] have historically been more reliable. Sources marked with ** are more likely to have water year-round th marked with a single *. Water described as seasonal, usually dry, early spring, etc. are less reliable..

Map	Mile	Waypoint	Location	Report	Date	Repor
California Section A: Campo to Warner Springs						
Start your hike with enough water to make it to the Lake Morena Campground.						
A1	1.2	WR001	**Juvenile Ranch Facility [faucet behind Juvenile Ranch sign]	Spigot behind the sign at Juvenile Ranch was on, though the sign is now for the Mountain Empire Unified School District (Juvenile Ranch has closed).	1/1/18	John
A1	1.4		Campo	Town - Faucet & Store		
A1	2.68		Seasonal Creek [usually dry]	Dry	8/25/17	Profes
A1	4.4	WR004	Creeklet [early spring only] Beware of poison oak here.	flowing strong	1/18/18	Medita
	5.2 - 7.8		Several small seasonal flows	Dry	8/25/17	Profes
A2	~12.7		Seasonal creek [usually dry]	Flowing	5/12/17	Sam P
Mile 15.36 : 3/10/17 (Rebo) : There is a water cistern 1.6 miles down Hauser Creek Road off trail starting at Mile 15.36. Go left (for Nobo's) on Hauser Cre and walk down past white tube pipe. In ~1.4 miles the dirt road ends at two large boulders. Go past the two boulders and walk ~50 feet. Go to your right an up the ravine (listen for water).						
A2	15.4	WRCS015	Hauser Creek [early spring only]	Dry this morning even after a night of rain. That may change later today.	1/9/18	Medita
If dry at creek crossing, try taking a right on the road E & walk up stream 200-300 yards. Periodically walk up to creek and check for pools. These last just a little longer th						

(9) 하이커 트래쉬 (Hiker Trash)

장거리 하이커들은 대부분 장기간 제대로 씻지 못한다. 피부는 새까매지고 옷은 점점 낡고 해어져 너덜너덜해진다. 특히 남성 하이커들은 덥수룩한 수염을 가지게 된다. 장거리 하이커들은 이런 모습을 하이커 트래쉬라 표현한다. 노숙자와 크게 다르지 않은 모습이기도 한데 그들과 다른 점이라면 자발적이냐 아니냐의 차이이지 않을까.

(10) 트레일 네임 (Trail Name)

트레일 네임은 트레일에서 쓰는 별명이다. 대부분의 PCT 하이커들은 자신을 이름 대신 트레일 네임으로 스스로를 소개한다. PCT에서는 각자의 개성이 드러나는 독특한 트레일 네임을 통해 서로 다른 하이커들과 소통한다. 이러한 트레일 네임은 스스로 자신의 트레일 네임을 짓기도 하고 다른 하이커들이 지어주기도 한다.

카사 데 루나에서 만난 수많은 트레일 네임들(좌). PCT 하이커 히맨(우)

(11) 하이커 박스 (Hiker Box)

하이커 박스는 보급지에서 주로 볼 수 있는 하이커들을 위한 식량 및 장비 공유상자다. 하이커들은 자신에게 필요 없거나 낡은 장비들, 혹은 남는 식량 등을 하이커 박스에 두고 간다. 그 장비와 식량들은 또 다른 하이커에게 소중한 보급품이 되어준다. 보급지에 도착하면 식량 구매 전 먼저 하이커 박스를 뒤져볼 것을 추천한다.

83일 차. 시에라 시티 스토어 앞의 하이커 박스. 비상용으로 쓸 수 있는 다른 하이커들의 헌 신발들도 많이 볼 수 있다.

(12) 노보&소보 (NOBO & SOBO)

멕시코 국경에서 캐나다 국경으로 향하는, 북쪽으로 걷는 것을 노보 NOBO, Northbound라고 한다. 그 반대인 남쪽으로 걷는 것을 소보SOBO, Southbound라고 한다. 일반적으로 캐나다를 향해 걷는 NOBO 하이커가 전체 PCT 하이커의 90% 이상을 차지한다.

(13) 카우보이 캠핑 (Cowboy Camping)

일반적으로 비박bivouac으로 알려진, 텐트를 사용하지 않고 최소한의 장비를 이용한 숙영을 미국에서는 대게 카우보이 캠핑이라 한다.

120일차. 크레이터 레이크 림 트레일 옆 카우보이 캠핑.

6.2. PCT 지도 약어waypoint-abbreviations

PCT 지도에 표기된 포인트들을 보면 CS, WR, TR 등의 약자로 구성되어 있는 것을 볼 수 있다. 준비과정 중 지도를 잘 살피지 못한 히맨은 출발 이후에도 이러한 약자들을 전혀 알지 못 했으나, PCT 애플리케이션을 이용하여 걸으면서 자연스레 이해할 수 있게 되었다. 그러나 PCT 를 준비한다면 사전에 필수적으로 알아야 할 부분이다.

Image from Halfmile Media

※ 지도를 살펴보면 이러한 약자 뒤에 숫자가 붙은 것을 볼 수 있다. PCT 상의 거리를 마일_{mile} 단위로 표시한 것이다. 예를 들어 'WR057'은 PCT 57마일 지점의 급수지를 말한다.

(1) CG : Campground

캠핑장. 대체적으로 시설이
갖추어진 큰 캠핑장을 이른다.

라구나 CG

(2) CS : Campsite

캠프사이트. 대체적으로 텐트 사이트를 구축할 수 있는 평평한 지형을
이른다. 운행 중 만날 수 있는 트레일 근처의 크고 작은 평평한 지형들
이 대부분 CS로 표기되어 있다.

CS0157. 11일차 꽤 괜찮은 사이트를 찾았다.

(3) Hwy : Highway crossing

도로를 가로지르는 길. 대부분의 보급 및 제로데이는 이곳에서의 히치하이킹으로부터 시작된다. 또한 트레일 매직을 가장 많이 만날 수 있는 곳이기도 하다. Hwy를 앞둔 장거리 하이커의 설레는 마음은 걸어본 자만이 안다.

Hwy178(Walker Pass). 도로 위에 발자국 모양이 있다.

(4) TH : Trailhead

트레일 입구. PCT를 걷다보면 다양한 트레일로 이어지는 길들을 볼 수 있다.

엘크 레이크 TH로 안내하는 이정표

(5) TR : Trail

트레일. TH와 비슷한 개념인 TR에서는 다른 트레일로 이어지는 갈림길 이정표를 만날 수 있다. 이때 다른 길로 빠지지 않도록 주의한다.

TR1819. Anni Springs trail junction 갈림길 이정표.

(6) PL : Powerline

트레일을 가로지르는 전기선. 고압의 전기가 흐르니 주의할 것.

(7) PO : Post Office

우체국. 아마도 우체국에서 가장 많은 보급을 받게 될 것이다.

(좌)오닉스의 일반적인 우체국(Onyx PO). (우)작고 특색있는 투올러미 CG의 우체국.

(8) RD : Road crossing

Hwy가 포장된 도로라면 RD는 대체적으로 차량이 다닐 수 있는 임도 및 비포장 도로Dirt road이다.

(9) WA/WR : Water

급수지. WA와 WR의 차이를 워터리포트에서 볼 수 있고 없고의 차이로 설명하고 있으나, 같은 개념으로 봐도 무방하다. 급수지는 계곡, 호수, 강, 수도시설 등으로 다양하게 존재한다.

(좌)11일 차에 만난 급수지. 하이커들의 물 수요 예측을 위한 이름과 급수량을 적는 로그북이 있다.
(우)워싱턴 구간에서 만난 시원한 계곡

(10) WACS/WRCS : Water Campsite

급수 가능한 캠프 사이트. 대체적으로 시원한 계곡 및 호수 옆에 위치한 캠프 사이트이다. 거의 모든 PCT 하이커들이 선호하는 사이트이기도 하다. 물 걱정 없이 쉴 수 있는 환경은 장거리 하이커에게는 천국과 다름없다.

텐트 촌이 형성된 WACSBB0784B의 모습. 물이 있는 곳엔 언제나 하이커가 몰려든다.

워싱턴 구간 중 산불로 통제된 구간을 우회하다가 만난 Takhlakh Lake CG. 이곳 또한 WACS라고 할 수 있다.

7. F A Q

: 당신이 궁금한 PCT *

Q1. PCT 완주 성공률이 어떻게 되나요?

A1. 하이커 설문조사에 따르면 PCT 완주율은 2016년 76%, 2017년 48%입니다. PCT 협회의 완주자 통계를 살펴보면 1952년 1명을 시작으로 지금까지 5,267명의 하이커들이 PCT 완주에 성공했습니다. 또한 88명의 하이커가 PCT를 두 번 이상 PCT를 완주하였습니다. 2016년의 완주자는 715명으로 사상 최대치를 기록한 후 2017년 366명으로 급감하였는데, 이는 폭설과 화재 등의 변수가 크게 작용한 것으로 보입니다.

Q2. PCT 하이커들의 연령대와 비율은 어떻게 되나요?

A2. 2017년 설문 기준 PCT 하이커들의 평균 연령은 34세입니다. 20대 이하의 비율이 49%로 가장 높고 30대 16%, 40대 8%, 50대 이상 18%의 비율을 보입니다.

---

* Halfwayanywhere***의 PCT 하이커 설문 (2017년***/2016년***) 참조

Q3. 여성 하이커들도 많이 있나요?

A3. 2017년 설문 기준 여성 PCT 하이커의 비율은 약 42%입니다. 2016년에 비해 10% 가까이 상승했으며, 여성 PCT 하이커는 지속적으로 늘어날 것으로 보입니다.

Q4. PCT를 혼자 걷는 사람들도 있나요?

A4. 2017년 설문 기준 나홀로 PCT 하이커의 비율은 67%입니다. 또한 나홀로 야영하게 되는 때는 전체의 20% 정도의 비율을 보입니다. 남녀 및 남남 커플 혹은 부부 등 다양한 그룹 하이커들이 있지만, 그럼에도 나홀로 PCT 하이커가 가장 많습니다. 긴 시간 함께 할 동료를 찾는 것이 쉽지 않아서 일수도 있겠습니다. 함께 걷는 동행의 유무에 따라 각각 장단점이 존재합니다.

〈와일드〉를 통해 PCT를 접한 많은 여성분들이 PCT를 걷고 싶지만 혼자서 그 길을 걷는 것에 대해 많은 걱정을 합니다. 하지만 길의 대부분을 혼자서 걷는 영화 속 모습과 달리, 길을 걸으며 많은 PCT 하이커들을 만날 수 있습니다. 때문에 길에 혼자 남겨지는 상황은 거의 없습니다.

Q5. 하루 평균 얼마나 걷나요?

A5. 2016년 설문 기준 PCT 하이커들은 하루 평균 30km 정도를 걷습니다. 코스와 컨디션에 따라 편차가 있으며, 어느 정도 적응을 마치면 40km 이상 걷기도 합니다.

히맨의 경우 175일간 하루 평균 24.5km를 걸었으며, 예비일을 제외하면 평균 31.2km입니다. 최장 운행거리는 52km입니다.

Q6. 산행 경험이 없어도 걸을 수 있을까요?

A6. 2017년 설문 기준 PCT가 첫 장거리 하이킹이라는 하이커의 비율은 69%에 달합니다. 산행 경험이 많은 사람들도 있지만 아무런 경험 없이 PCT에 뛰어든 휴학생, 주부, 어르신들도 많습니다. 그들은 PCT를 걸으며 점점 장거리 하이킹 전문가가 되어 갑니다. 실제로 초 중반 구간을 이겨낸 PCT 하이커들은 최적화된 자신만의 방법으로 하루 40km 이상 큰 문제없이 걸어 나갑니다. PCT 완주에 있어서 산행경험보다 중요한 것은 '의지와 끈기'라고 생각합니다.

Q7. 야생동물이 많을 텐데 위험하지 않나요?

A7. PCT에서 뱀, 곰, 사슴 등의 야생동물과 마주칠 수 있습니다. 하지만 히맨이 PCT를 걸으면서 야생동물로 인해 위험에 처한 하이커는 보지 못했습니다. 야생동물들을 자극하지 않도록 주의를 기울인다면 야생동물로 인해 위험에 처할 일은 드뭅니다.

PCT에 주로 서식하는 곰은 일반적으로 온순하다고 알려진 흑곰입니다. 실제로 길에서 서너 번 마주치자마자 모두 도망갔는데 그 속도가 매우 빨랐습니다. 호기심이 많고 나무도 매우 잘 타기에 곰통 이용 수칙 등을 잘 지키는 것이 좋습니다.

사막구간에서는 방울뱀을 자주 마주치게 되는데 자극하지 않는 이상 먼저 사람을 공격하지는 않습니다.

Q8. PCT를 완주하는데 예산은 얼마나 드나요?

A8. 히맨은 PCT 전체 예산을 500만원으로 계획했으나 최종적으로 약 700만원이 소요되었습니다. 이는 비자 및 항공권, 장비 구입까지 모두 포함한 총 경비입니다. 마을에서의 매식의 증가, 부상으로 인한 불가피한 실내 취침과 늘어난 일정으로 인해 비용이 늘어났습니다. 하지만 예산 조절에 신경을 쓴다면 500만원이면 충분히 가능합니다.

Q9. 출발지인 멕시코 국경으로 어떻게 이동하나요?

A9. 샌디에이고에서 PCT 하이커를 돕는 트레일 엔젤인 스카우트&프로도Scout and Frodo에게 도움을 받을 것을 권합니다. 예약을 통해 샌디에이고 공항에서 자신들의 PCT 호스팅 장소까지 픽업을 해주며, 이곳에 머물며 PCT를 준비할 수 있습니다. 이후 PCT 출발지인 캄포까지 이동하는데 도움을 받을 수 있습니다. 이외에도 PCT 페이스북 그룹* 등 SNS를 적극적으로 활용하여 도움을 구하는 것도 좋습니다.

그 외에 PCT 협회에서 소개하는 대중교통 이용방법이 있습니다. 엘 카존 환승센터El Cajon Transit Center에서 894번 버스를 타고 캄포로 이동하며 소요시간은 약 2시간입니다. 공항에서 오는 경우에는 시내까지 버스로 이동한 후 엘 카존 환승센터로 향하는 트롤리Trolley를 이용합니다.(버스 운행시간표 등의 정보는 구글 지도 이용을 권하며 자세한 내용은 링크 참조)

히맨은 샌디에이고에서 지인의 도움을 받아 개인 차량을 타고 출발지

---

* PCT Class of 2018 페이스북 그룹1**

PCT Class of 2018 페이스북 그룹2**

까지 이동하였습니다.

- 트레일 엔젤(스카우트&프로도)홈페이지[**]
- PCT협회 홈페이지 출발지 이동방법안내[**]

Q10. 길은 어떻게 찾아야 하나요? GPS 장비가 필요한가요?

A10. PCT는 대게 갈색 스틱$_{Brown\ Stick}$ 혹은 PCT 마크로 된 표식으로 길을 안내하고 있습니다. 길이 헷갈리거나 길을 잃었을 경우 1차적으로 주변을 살펴 표식을 찾아보기 바랍니다. 그래도 길을 찾지 못할 경우 PCT 애플리케이션을 이용하면 좋습니다. GPS와 연동되어 현재 자신의 위치를 기준으로 캠프사이트$_{CS}$, 급수지$_{WR}$ 등의 위치를 알 수 있습니다. 이 외에도 보급지와 랜드마크 등 주요지점의 대략적인 정보를 알 수 있어 꼭 애플리케이션을 활용할 것을 추천합니다. 히맨은 무료 애플리케이션인 하프마일 PCT$_{Halfmile\ PCT}$를 이용하였습니다. 유료 애플리케이션인 Guthook's PCT는 상세한 정보와 그래픽지도 등을 볼 수 있으며, 먼저 지나간 하이커들의 리뷰 또한 볼 수 있어 PCT에서 일어나는 다양한 상황에 유연하게 대처할 수 있습니다.

- 애플리케이션으로 PCT걷기[**]
- Guthook's PCT[**]
- Halfmile PCT[**]

Q11. 물은 어디에서 구하나요?

A11. PCT 전 구간을 통틀어 급수를 위한 수도시설이나 약수터와 같은

곳은 많지 않습니다. 대게는 길을 걷다 만나게 되는 계곡이나 강을 통해 급수를 하게 됩니다. 어떤 때는 산비탈을 따라 흐르는 작은 물줄기나 웅덩이에 고여 있는 오염된 물을 마셔야 하는 경우도 있습니다. 결론적으로 급수지는 일정한 간격으로 위치하지 않습니다. 급수지는 PCT 지도상에 WR/WA 등의 약어로 표기되어 있습니다. 앞으로 나타날 급수지에 대한 정보들은 PCT 관련 애플리케이션들을 통해 조금 더 쉽게 확인할 수 있습니다.

PCT 길을 알려주는 PCT 마크와 갈색 스틱

Q12. 보급지 간격이 가장 멀었을 때는 이동에 며칠이 걸렸나요?

A12. 히맨의 경우 다음 보급까지 가장 길었던 기간은 8일입니다. 보급 상자 기준으로는 15일이 소요되었습니다. 케네디 메도우즈Kennedy Meadows

에서 비숍Bishop으로 탈출하기까지 7일이 소요되었고, 다시 레드 메도우 Red's Meadow까지 8일이 걸렸습니다.

케네디 메도우즈에서 레드 메도우까지의 거리는 약 300km입니다. 중간 지점이라 할 수 있는 VVRVermilion Valley Resort이나 뮤어 트레일 랜치 Muir Trail Ranch에서의 보급이 아니라면 비숍 등의 마을로 탈출을 해야 합니다. 하지만 PCT를 벗어나 긴 거리를 걸어야만 탈출이 가능합니다. 따라서 해당 구간은 철저한 보급 및 운행전략이 필요합니다.

Q13. 등산 스틱을 꼭 사용해야 하나요?

A13. 등산 스틱trekking pole을 사용하지 않는 PCT 하이커는 거의 보지 못 했습니다. 등산 스틱은 장거리 하이커에게 필수적인 장비라고 할 수 있습니다. 특히 부상의 위험을 최소화하기 위해서 꼭 등산 스틱을 사용하기를 권합니다.

Q14. 체중이 많이 빠진다고 하던데 정말 그런가요?

A14. 대부분의 하이커들이 PCT를 걸으며 체중이 줄어드는 경험을 합니다. 긴 기간 매일 평균 30~40km를 걸으며 겪는 자연스러운 현상입니다. 히맨은 출발 당시 약 64kg에서 종료일에 정확히 60kg로 약 4kg 감량이 되었으나 가장 힘든 구간에서는 그보다 더 빠졌을 것으로 예상합니다. 함께 걸은 양희종 님의 경우 적어도 20~25kg 이상 체중이 줄어든 모습을 볼 수 있었습니다. PCT 하이커들은 서로 체중이 줄어든 것을 자랑하듯 출발 당시 자신의 사진을 보여주기도 하는데, 어쩌면 PCT는 아주 확실한 다이어트 프로그램이라고도 할 수 있겠습니다.

그 길에서의 모든 선택은 나의 선택이었으며,

선택에 따른 책임 또한 나의 것이었다.

그것은 온전히 나의 길이었다.

■ 히맨의 PCT

PCT 하이커 히맨의 여정을 소개한다. 히맨의 PCT 운행 정보 및 이야기를 사진과 함께 살펴본다. 각 구간별 주요 보급지에 대한 소개와 더불어 놓쳐서는 안 되는 랜드마크, 유용한 정보들도 소개한다.

· 시작하기 전에 · · ·

보급지 및 랜드마크 명칭 옆 숫자는 멕시코 국경을 기준으로 한 PCT에서의 위치와, 보급지 및 랜드마크가 PCT에서 얼마나 떨어져 있는지를 가리킨다. 대안 길의 경우 대안 길이 시작되는 지점의 PCT에서의 위치와 대안 길의 전체 길이를 가리킨다.

> ex) Mt. Laguna PO, 66.8+0.4 : Mt. Laguna PO는 PCT 66.8km
> 지점에서 0.4km 떨어진 보급지이다.
> ex) Mt. Baden Powell, 608.2+0.2 : Mt. Baden Powell은 PCT
> 608.2km 지점에서 PCT를 벗어나 0.2km 떨어져 있다.
> ex) Crater Lake Alternate, 2929.9+18.9 : Crater Lake Alternate
> 는 PCT 2929.9km 지점에서 시작되는 18.9km의 대안 길이다.

- 〈PCT 하이커 되기〉
  링크 리스트 살펴보기
- PCT 문의 및 제안하기
  http://bitly.kr/PCThiker

1. 캘리포니아 남부
PCT S.CA

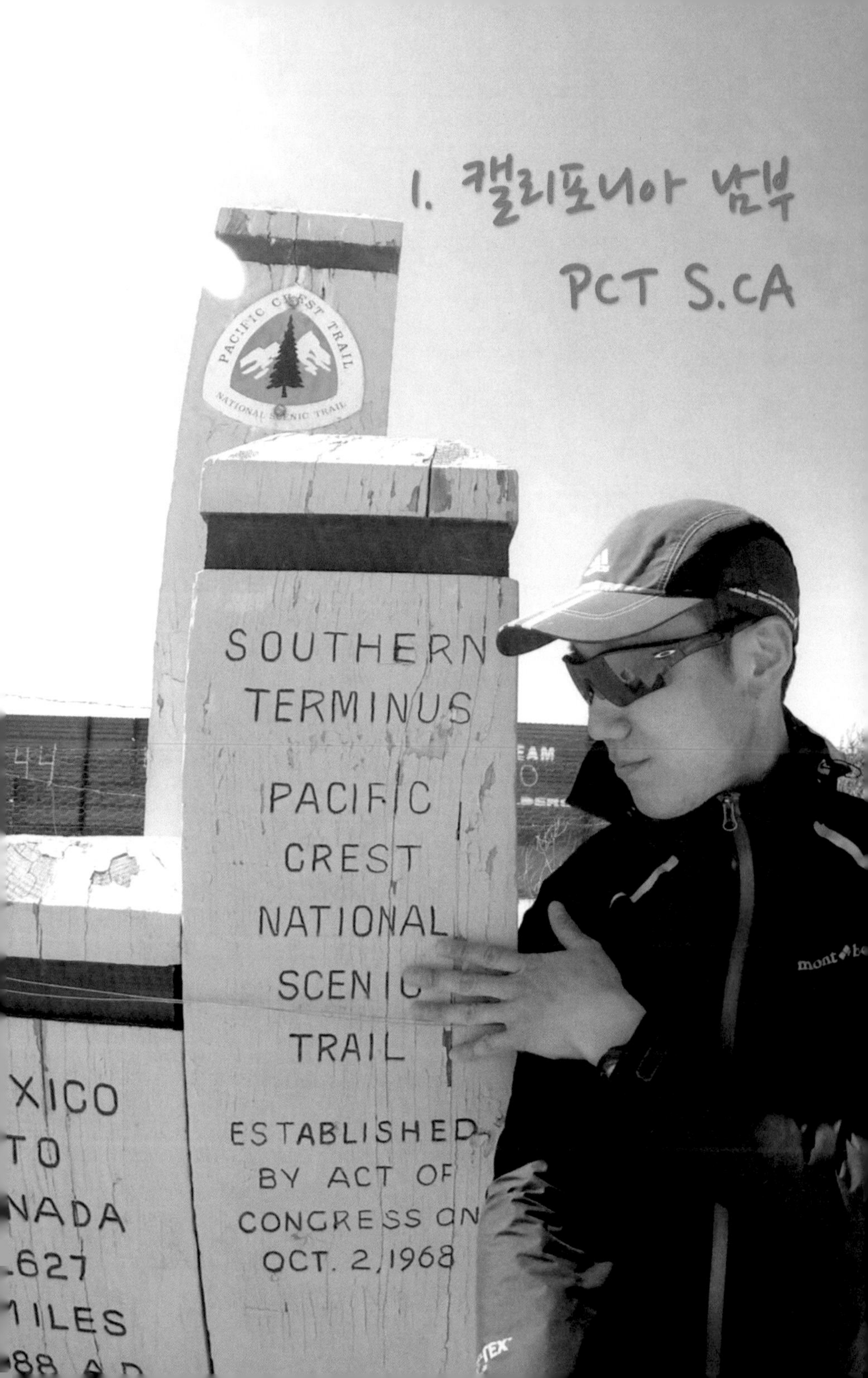

1. PCT 캘리포니아 남부

PCT Southern California

구 간 : 캄포(Campo, 0km)

~ 워커패스(Walker Pass/Hwy 178, 1049.29km)

소요기간 : 41일(예비일 5일)

보 급 : 8회

PCT가 관통하는 캘리포니아, 오리건, 워싱턴 세 개의 주States 중 캘리포니아 주는 PCT의 절반 이상을 차지한다. 길이가 긴만큼 캘리포니아 구간을 남부, 중부, 북부의 세 개의 구간으로 구분한다. PCT 0km 지점인 캄포Campo에서부터 워커 패스Walker Pass, Hwy 178까지가 캘리포니아 남부 구간이다.

PCT 하이커의 90% 이상이 북쪽으로 향해 걷는데, 캄포에 위치한 멕시코 국경 앞의 PCT 최남단 포스트PCT southern terminus가 공식적인 PCT의 출발선이라고 볼 수 있다. 수많은 PCT 하이커들이 이곳에서 캐나다를 향해 약 4300km의 여정을 시작한다.

PCT의 처음은 뜨거운 모하비 사막 옆을 지나며, 강렬한 태양 아래 메마른 길을 걸어야 한다. 영화 〈와일드〉에서 셰릴 스트레이드가 무더위 속에서 '오 마이 갓'을 연발하던 장면을 보면 조금이나마 그 느낌을 알 수 있을까? 시원한 물 한잔 그리고 처음 경험하게 될 트레일 매직Trail magic의 고마움도 알게 될 것이다. 그럼 PCT 1일 차 운행을 시작한다.

히맨의 PCT 캘리포니아 남부
훑어보기(영상) : http://bitly.kr/1scaR**

레이크 이자벨라 (1049.3+59.5)

워커패스 (1049km)

R8_오닉스 (1049.3+28.5)

1000km

캘리포니아

남부

테하차피 (911.5+14.8)

Mojave

_하이커 타운 (833.0+0.4)

R6_아구아 듈세 (731.4+1.6)

R5_라이트우드 (594.5+7.2)

맥도날드 (550.4+0.8)

Mt. Baden Powell (2867)

R4_빅 베어 시티 (428.2+8.7)

500km

Cabazon

Los Angeles

Mt. San Jacinto (3302)

R3_아이딜와일드 (228.7+7.2)

R2_워너 스프링스 (176.2+1.6)

1049km

R1_라구나 (66.8+0.4)

San Diego

PCT 최남단 포스트 (0.0+0)

캄포 (0km)

U.S.A

MEXICO

멕시코

Day	Date	Location(from)	Location(to)	운행거리	PCT km	대안길	기상	Start	End	휴식횟수	코스 및 운행특이사항
1	2015-04-16	Campo	WRCS015(Hauser)	24.71	24.71	-	-	10:40	19:30	-	PCT 진입로를 헷갈릴수 있음. 잘 못 찾으면 알바, 주변에 Border patrol 차량이 돌아다니니
2	2015-04-17	WRCS015(Hauser	Boulders Oak CG	17.2	41.91		6:25	8:20	17:20	4	
3	2015-04-18	Boulders Oak CG	Burnt Rancheria C	25.84	67.75		6:00	8:00	16:05	6	매우 다음, 17~18km지점까지 그늘을 찾기 힘듦, 운행중 마을 물 2L이상 권장. 그늘을 위한 한
4	2015-04-19	Burnt Rancheria C	Mt. Laguna CG	8.76	76.51		5:55	8:08	11:25	1	약 10km의 걸거리, 대체적으로 완만하며 빠르게 진행할 수 있음. 급수를 위한 샘
5	2015-04-20	Mt. Laguna CG	CS0056(CS in bou	13.52	90.03		5:55	14:02	17:55	3	바람 다소 강함. 대체적으로 평탄하며 그늘이 드문드문. 후반에는 데빌들이 이른 점심시간에 급수통을 돌 수
6	2015-04-21	CS0056(CS in bou	WRCS077(Scissor	33.82	123.85		5:30	7:05	17:10	5	바람이 매우 강함. 물부족 주의(19~20km 급수가능), CS0073 small campsite는 환경이
7	2015-04-22	WRCS077(Scissor	WRCS101	38.91	162.76		5:50	7:50	18:10	6	전체 운행거리 약 38km중 긴 급수가 힘드니 주의할 것(쉰 날로부터 전체 52km주간), 중간 급
8	2015-04-23	WRCS101	Hwy79(Warner Cor	13.46	176.22		6:02	8:31	12:30	2	부담없는 경사와 멋지고 예쁜 숲속사이로 난 길, 재주주 오름과 같은 느낌이다. Eagle Rock 직
9	2015-04-24	Hwy79(Warner Cor	WR120(Lost Valley	13.46	192.47		6:30	14:15	18:25	5	계속 평탄한 길. 계곡을 따라 걷는 비교적 무난한 코스
10	2015-04-25	WR120(Lost Valley	WRCS140B(Nance	33.1	225.57		5:04	7:06	14:35	6	길의 마야 반복되는 능선길. 경사는 심하지 않음. 선선할 날씨 덕에 매우 빠른 속도로 운행이
11	2015-04-26	WRCS140B(Nance	CS0157	27.69	253.26		5:00	7:10	18:00	4	10을 바라보는 동을 찾는 코스. 오전이라 비교적 쾌적. 초반 3~4km 지점에 급수가능. 대체적
12	2015-04-27	CS0157	Mt. San Jacinto Sta	40.78	271.41	22.63	5:21	7:26	20:10	8	Alternate way to Idyllwild. 화재로 인해 폐쇄된 길. (Junction)에서 다른 재로로 이어지는 길 발음(Onyx)
13	2015-04-28	Mt. San Jacinto Sta	Mt. San Jacinto Sta	0	271.41		5:58	-	-	8	예비일. 휴식. 재보급 식량 분배하여 다른 재로로 이동
14	2015-04-29	Mt. San Jacinto Sta	WRCS194(Snow C	40.47	311.88		5:45	8:07	18:40	8	Deer Springs Trail-Suicide Rock. 암릉 자살바위를 것을 추천-Strawberry J
15	2015-04-30	WRCS194(Snow C	ZiggyBear Trail	27.37	339.25		5:21	7:03	16:05	2.4	계속 되는 내리막과 내리꽂는 듯한 태양. 19km지점까지 물이 없으며, 전 구간 그늘이 없으니
16	2015-05-01	ZiggyBear Trail	WRCS0230(Camp	30.12	369.37		3:04	4:25/18:03	8:20/24:03	5	첫 야간운행. 1차 야간운행 끝(급경사 내리막)/2차 아간운행: 일몰 후/계곡 따라 이어
17	2015-05-02	WRCS0230(Camp	near RD0249	30.59	399.96		6:33	17:43	2:51	7	철저한 계획 운행(60분 운행/10분 휴식)
18	2015-05-03	near RD0249	Hwy18(Big Bear)	28.32	428.28		7:00	8:33	16:06	7	출발 5km지점에서 사면(계곡) 자살바위로 빠르게 ...예비일(Legend)을 만남
19	2015-05-04	Hwy18(Big Bear)	Hwy18(Big Bear)	0	428.28		8:00	-	-	7	예비일. 식량 및 구매(평지 구매). 운행계획(하루 평균 38km 이동하자 5/9 Little Jimmy Camp 도착
20	2015-05-05	Hwy18(Big Bear)	CS0290	38.33	466.61		6:27	9:42	19:30	6	매우 평탄한 내리막 후, 약 14km지점 엔젤에 위치한
21	2015-05-06	CS0290	near WR0314	37.8	504.41		5:12	7:12	18:27	0	500km 돌파, 계곡 따라 계속되는 내리막. 약 29km 지점 Deep Creek hot spring(온생) 노천
22	2015-05-07	near WR0314	near TR0342(Mcdc	46.31	550.72		4:41	6:26	18:00	2	Long day. 운행후반 강한 비람. Mcdonald 이정표 물을 수 있음
23	2015-05-08	near TR0342(Mcdc	CS0362	31.43	582.15		5:40	7:33	17:05	5	8km 지점 Water box
24	2015-05-09	CS0362	WRCS0384(Little Jimm	35.62	617.77		5:55	7:28	17:50	4	600km돌파, 가파른 오르막과 내리막. Mt Baden Powell 등정(정상 0.22km from PCT), 내리막 잔
25	2015-05-10	WRCS0384(Little Jimm	Hwy2C(Islip Saddle	3.47	621.24		6:24	12:45	13:37	1	예비일, Little Jimmy CG-I, 조업절 선배님 먹으로 이동 후 휴식(빨리, 샤워 등)
26	2015-05-11	Hwy2C(Islip Saddle	LA	0	621.24		6:10	-	-		예비일, 식량 및 구매(물품 보급비 구매)(LA)
27	2015-05-12	Hwy2C(Islip Saddle	WRCS0395(Coope	14.79	636.03		7:06	13:48	18:17	2	6~7km지점 통치림(closed, 생태로운 Yellow-leged Frog), Endangered Old Alternate(7.74km
28	2015-05-13	WRCS0395(Coope	CS0415	32.01	668.04		5:09	7:05	14:44	5	400mile 돌파, Hwy2과 트레일이 계속해서 교차되는 코스, 완만한 경사의 무난한 코스로 빠를
29	2015-05-14	CS0415	WR0436(North For	33.83	701.87		5:45	7:09	16:20	4	급격한 날씨변화(강풍, 비, 눈 우박)로 인해 692.73km 지점(Messenger Flats CG)에서 비
30	2015-05-15	WR0436(North For	between RD0457B	34.43	736.3		6:00	7:38/20:24	16:57/21:50	3	재보급 장소인 KOA(약 15km 지점)에서 약 2시간 휴식 및 정비. Agua Dulce에 캠핑장이니
31	2015-05-16	between RD0457B	RD0478(to Casa d	33.34	769.64		5:53	8:33	18:09	4	줄을 오르내리며 내리꽂히는 뙤약볕 산을 돌아 가는 코스
32	2015-05-17	RD0478	SawmillCG	32.17	801.81		6:14	9:13	17:44	1	Casa de Luna 에서 on PCT까지 차량 픽업 이동. 도로(Pine Canyon RD)를 따라 약 19km 운
33	2015-05-18	SawmillCG	WR518(Hikertown)	31.16	832.97		5:25	7:13	15:28	1	500mile 돌파, 물의 이 운행 시작 (Horse Camp Trail에서 약 320m off trail에서 급수)
34	2015-05-19	Hikertown	Hikertown	0	832.97		5:52	-	-		예비일
35	2015-05-20	WR518(Hikertown)	WRCS542(Tylerho	38.58	871.55		5:29	7:17	16:29	2	28.5km 지점까지 비포장도로 운행
36	2015-05-21	WRCS542(Tylerho	WR558(Oak Creek	27.17	898.72		5:15	7:03	14:22	2	Oak Creek(WR558)에서 운행 종료 후 히치하이킹하여 근처 마을인 Tehachapi로 이동
37	2015-05-22	WR558(Oak Creek	near RD0575	27.99	926.71		7:00	9:38	17:05	3	흐린 날씨에 돌이 취청가듯 뙤약볕 도로의 강풍. 수물을 통해 일전기들을 물을 수 있음 운행 후반 금강
38	2015-05-23	near RD0575	Hamp Williams Pas	33.2	959.91		5:41	7:25	17:02	5	-
39	2015-05-24	Hamp Williams Pas	WR616(Kelso Valle	31.33	991.24		5:15	6:58	15:07	-	
40	2015-05-25	WR616(Kelso Valle	TR0637(Trial junctio	33.91	1025.15		5:27	7:13	15:50	4	약 9km운행한 이후(1000km지점)부터 완전한 사막지형(그늘과 쉴 트레일임이며, 오후라이

번호	날짜	아침식사	점심	저녁식사			
2	2015-04-17	오니시 소마탐	오니시 소마탐	라면+차리라조도	2350	-	2
3	2015-04-18	오니시 박미+김치+라면스프	브로콜리 체다 브리또	브로콜리 체다 브리또+라면	-	-	3
4	2015-04-19	오니시 박미+라면스프	조식겸반	오니시 박미+고추장	-	2	3
5	2015-04-20	오니시 조미밥+자반김	행동식	재로 그럼율파미+고추장+자반김	200	-	3
6	2015-04-21	재로 그럼율파미+고추장+자반김	행동식	오니시 박미+고추장+자반김+미소된장국	640	-	3
7	2015-04-22			오니시 박미+고추장+자반김+미소된장국	1250	-	5
8	2015-04-23	매식(더블비 피 즈버거 with COKE)	매식(더블비 피 즈버거 with COKE)	씨리얼+과자, 라면	150	-	2
9	2015-04-24		매식(더블비 피 즈버거 with COKE)	재로 그럼율파미+고추장+김치찌반+미소된장국	100	2	5
10	2015-04-25	또띠아(땅콩+딸기)+우유+김	행동식	재로 그럼율파미+고추장+김+미소된장국	600	-	6
11	2015-04-26	또띠아(땅콩+딸기)+우유	행동식(Paradise Valley CAFE : 버거&맥주)		-	-	4
12	2015-04-27	또띠아(땅콩+딸기)+우유	행동식	토스트+우유/떡주+다과	900	-	6
13	2015-04-28	씨리얼+사과+매식(Red Kettle:버거+치킨스테이	매식(Mile High CAFE:버거+샌드위치)	초대(고추장+돼지불고기+김치찌개+채소)	-	2	3
14	2015-04-29	씨리얼+사과	행동식	알파미(고추장아침밥)밥+밥+미소된장국+파피	500	1	5
15	2015-04-30	주먹밥+라면스프+사과	행동식	피자&타코+땅주스+김 at Ziggy&Bear	1610	-	4
16	2015-05-01	씨리얼+우유(씨리얼)	재로 그럼율파미+고추장+김	오니시 박미+라면스프	1450	1	7
17	2015-05-02	또띠아(땅콩+딸기)+우유	행동식	또띠아(땅콩+딸기)+라면스프+우유	1000	-	5
18	2015-05-03	재로 그럼율파미+라면스프+고추장+김	행동식	김식(스테이크 David Kim)	500	1	4
19	2015-05-04		매식(피자+파스타)	식(스테이크+라면스프)	-	2	6
20	2015-05-05	김치찌개 라면	행동식	햇반+김치찌개+소시지+두부	400	1	6
21	2015-05-06	또띠아(땅콩+딸기)+우유(씨리얼)	행동식	치킨비빔밥+라면스프+김	400	-	5
22	2015-05-07	또띠아(땅콩+딸기)+스테비스 더블샷 프로틴(씨	행동식	오니시 조미밥+고추장+라면스프+또띠아(땅콩+	450	1	6
23	2015-05-08	헴버거+우유(씨리얼)	행동식	매식(맥도날드 콤보버거3)	100	-	6
24	2015-05-09	또띠아(땅콩+딸기)+스테비스 더블샷 프로틴(씨	김밥+우유 초밥+컵라면(독미주 선위회)	해물비빔밥+라면+또띠아(땅콩+딸기)+우유(씨리얼)	350	1	5
25	2015-05-10	김치찌개 라면		갈비+삼겹살+김치찌개(David Kim)	0	-	4
26	2015-05-11	육개장+멸치+우엉(David Cho)	피자(David Cho)	생선가스+타코(David Cho)	-	1	8
27	2015-05-12	매식(따토찹, David Cho)	매식(햄버거, David Cho)	매식(소고기+돼지고기 in 바캉 with David Cho.	50	-	7
28	2015-05-13	재로 그럼율파미+된장찌개+멸치+오징어채	행동식	재로 그럼율파미+고추장+라면스프+또띠아(땅콩+	450	1	7
29	2015-05-14	김치비빔밥+라면	행동식	김치비빔밥+라면	100	-	5
30	2015-05-15	또띠아+우유(씨리얼)	행동식	매식(피자+항공원 in Big Mouth, Agua Dulce)	200	1	7
31	2015-05-16	피자+우유(씨리얼)	행동식	타코 칩(Casa de Luna)	-	-	5
32	2015-05-17	또띠아+우유+펜케이크+커피(Casa de Luna)	행동식	오니시 박미+라면+멸치+오징어채+김	50	-	4
33	2015-05-18	재로 그럼율파미+멸치+오징어채+김	행동식	매식(베이컨치즈버거, Gas station near Hikertow	400	2	4
34	2015-05-19	우유(씨리얼)/오니시 박미+고추장+오징어	매식(베이컨치즈버거, Gas station near Hikertow	매식(베이컨치즈버거, Gas station near Hikertow	-	-	4
35	2015-05-20	매식	행동식	오니시 박미+고추장+김주유+유(씨리엘)	950	1	6
36	2015-05-21	매식(인디언타코, Tehachapi)	행동식	피자(Brent's house, Tehachapi)	750	-	5
37	2015-05-22	오니시 박미+고추장+김	행동식	오니시 조미밥+고추장+라면스프	50	-	6
38	2015-05-23	토스트+우유(씨리얼)	행동식	재로 그럼율파미+고추장+라면스프+또띠아+우유(씨	-	1	5
39	2015-05-24	또띠아+우유(씨리얼)	행동식	재로 그럼율파미+고추장+라면스프+또띠아+우유+통지	1500	-	4
40	2015-05-25	오니시 박미+고추장+라면스프+우유	행동식	식빵(블루베리,잼&참치)+우유+피로그럼율파미+	1350	-	4
41	2015-05-26	오니시 박미+고추장+라면스프+또띠아+우유	행동식	매식(홀 드 날/Isabella Motel Dinner(피자+케	800	1	5
42	2015-05-27	누룽지+고추장+식빵&또띠아(땅콩&블루베리)+행동식			-	3	8

기다리고 기다리던 길 위에 서다 ~25km(25km)*

1일 차 : Campo ➔ WRCS015(Hauser Creek)

2015년 4월 16일 멕시코 국경 앞 PCT 최남단 포스트 PCT 0.00 km 지점에 섰다. 지금껏 PCT를 준비하면서 힘들었던 때가 생각나며 눈물이 날 줄 알았다. 그런데 그런 건 없었다. 내가 정말 PCT를 걷는 건지 실감나지 않았다.

PCT 최남단 포스트. 이제 시작이다.

출발하자마자 길을 잘 못 들어 국경 경비 차량의 안내로 다시 출발지로 돌아오는 해프닝을 겪었다. 국경 경비원은 앞으로 이 길이 PCT 임을 알리는 갈색 스틱Brown stick과 나무 등에 박혀있는 PCT 마크를 따라 걸으면 된다고 알려줬다. 덕분에 마음을 놓을 수 있었지만 그럼에도 길을 헤매는 일이 수없이 많았다.

---

* ~PCT km(운행거리) : PCT에서의 위치와 해당 기간 동안의 운행거리를 표기한다.

실감이 나지 않았던 첫 날은 26km를 운행하면서 끝이 났다. 텐트 안 침낭 속 취침은 언제나 아늑하고 행복한 순간이다. 오랜만의 캠핑에 들뜬 마음을 가라앉히며 잠자리에 들었다.

실실 웃고 있었다. 바보같이.~42km(17km)
2일 차 : WRCS015(Hauser Creek) ➔ Boulders Oak CG

PCT에서의 첫 아침이 밝았다. 걷고 먹고 자는 일상의 시작이었다. 걷기 시작한 지 얼마 되지 않아 커다란 캠핑장을 만났다. 가게로 달려갔던 형은 두 병의 맥주 그리고 배낭에 지고 다니겠다는 6캔의 콜라와 함께 나타났다. 콜라를 들고 다니려 쿨링백을 가져왔다는 그의 엄청난 콜라 사랑에 웃음이 났다. 그렇게 화장실 벽에 기대어 맥주와 함께 밥을 먹으며 둘만의 대화가 시작됐다. 마라톤, 군대 이야기부터 각자 느끼는 PCT의 의미 등 조금이나마 서로에 대해 알 수 있는 시간이었다.

다시 걷기 시작했다. 형을 앞에 보내고 뒤에서 걷던 나는 바보같이 실실 웃고 있었다. 행복감에 젖었을 때 나도 모르게 나오는 '피식'이었다.

2일 차 운행 중

불과 하루 만에 신고 있던 샌들과 카메라 삼각대, 책 등을 버린 형은 조금씩 이 길에 적응해 가고 있었다. 어쩌면 버릴 것이 많은 사람에게 유리한 PCT인지도 모르겠다는 생각이 들었다.

나는 적어도 지금까지는 버릴 것이, 버리고 싶은 마음이 없었다.

'앞으로 어떤 것을 버리게 될까?'

첫 보급지인 라구나 캠핑장Laguna CG, 76.51km까지의 5일은 대체적으로 여유롭게 PCT에 적응하는 기간이었다. 길은 대체적으로 평탄하여 어려운 점은 없었다. 하지만 적응이 쉽지 않은 것이 있었다. 그늘을 찾아보기 힘든 사막의 뜨거움은 결코 만만치 않았다. 한국에서 준비할 때는 이해하지 못 했던, 양산을 한 손에 들고 걷는 하이커들의 모습이 이해가 되면서 한편으로 부럽기도 했다.

소중한 것을 두고 온다는 것~90km(14km)

5일 차 : WRCS101 ➡ Hwy79(Warner Community Resource Center)

라구나 우체국Laguna PO 옆의 가게에서 또 다른 한국인 PCT 하이커인 윤은중Thermometer 님을 만났다. 이곳에서 한국인을 만나다니! 60대의 연세에 이 긴 길에 올라선 그는 우리보다 하루 뒤에 출발하여 이곳까지 힘겹게 도착했다고 했다. 무더위에 제대로 급수도 하지 못 해 많이 지친 듯 보였다. 영문 숫자 셈을 적어 드려야 할 정도로 외국인과의 소통이 불가능한 상태에서 PCT를 걷는다는 것이 참 대단하다는 생각이 들었다. 게다가 2009년에 이미 애팔래치아 트레일AT을 완주한 경험이 있다는 사실에 한 번 더 놀랐다. 윤은중 님의 딸이 2015년 PCT 하이커들의 페이스북 그룹을 통해 아버지의 소식을 전하면서 이미 큰 배낭을 짊어진 아시안 하이커로 유명해져 있었다. 한 하이커가 딸의 페이스북 게시물을 그에게 보여 주었다. 아버지를 걱정하는 딸의 글을 읽은 그는 뒤돌아 눈물을 훔쳤다.

무언가 소중한 것을 두고 온다는 것은 쉽지 않은 일이다. 나는 어르신의 눈물에 공감하며 동시에 앞으로 닥칠 수많은 위험과 외로움을 자처하며 이 길에 서게 된 사연이 궁금해졌다. 우체국에서 그의 보급 상자 발송을 도와드린 후 다음에 만날 것을 기약하며 각자의 길로 떠났다. 걸으며 어르신의 모습이 자꾸만 생각났다.

'아직 그런 서글프고 그리운 감정이 나타나지 않는 것은,

소중하게 여기는 것이 없어서인가 아니면 원래 무감각해서인가??'

5일 차. 라구나 우체국에서 만난 윤은중 님과 대화하는 양희종

이날 운행은 대체적으로 평탄하고 무난했으나, 바람이 다소 강했다. 운행 후반 WR053Pioneer Mail Picnic Area에서 엔젤들이 마련한 급수물통을

만났다. 이후 멋진 풍경과 함께 고인을 애도하는 메모리얼들을 많이 볼 수 있었다.

첫 롱데이_{Long day/~163km(39km)}

7일 차 : Scissors Crossing(WRCS077) ➡ WRCS101

전체 운행거리 약 38km. 전 날로부터 총 52km를 운행하는 동안 길에서 물을 찾아 볼 수 없었다. 중간에 만난 급수지의 플라스틱 물통은 벌써 텅텅 비어 있었다. 걷는 내내 그늘이 거의 없는 지그재그의 스위치백 오르막을 올라야 했다. 이 날은 원래 빌리 고트 케이브_{Billy Goat's cave} 라는 사이트까지 30km만 이동하여 머물 계획이었다. 랜드마크라는 안내를 보고는 커다란 동굴을 기대하며 걸었지만 막상 도착한 그곳은 딱한 사람이 겨우 들어갈 만한 작은 굴이었다. 애플리케이션의 아주 작은 굴_{very small cave}이라는 추가 설명은 괜한 것이 아니었다. 물이 넉넉했다면 여유롭게 근처 사이트를 찾아 되돌아갔겠지만 다음날 운행을 감당하기에는 물이 턱없이 모자랐다. 가장 가까운 급수지이자 사이트는 8km를 더 가야 했다. 몸은 지칠 대로 지쳐 있었지만 더는 지체할 수 없어 결국 목적지를 변경하여 더 이동한다는 메시지를 굴 앞에 남기고, 전력을 다해 8km 뒤의 사이트_{WRCS101}까지 이동했다.

정신없이 텐트를 치고 밥을 먹고 나니 만나지 못한 형이 걱정되기 시작했다. 지금이라도 어서 여기 도착하면 좋겠는데... 의외로 혼자가 되니 많이 어색했다. 다음날 무사히 워너스프링스_{Warner Springs}에서 재회할 수 있기를 바라며 잠에 들었다.

빌리 고트 케이브

 급수계획

사막구간인 캘리포니아 남부는 급수가 중요하다. 반드시 급수지를 미리 파악하여 운행거리와 사이트를 설정하기 바란다. 운행 중에는 마실 물, 조리에 필요한 물 등을 계산하여 물 조절에 특별히 신경을 써야 한다.

PCT 하이커 히맨~176km(13km)

8일 차 : WRCS101 ➜ Hwy79(Warner Community Resource Center)

PCT를 시작하고 8일 만에 처음으로 혼자 걷게 되었다. 바람 소리 말고는 아무런 소리도 들리지 않는 길 위에 온전히 혼자였다. 이 길을 걷기 전 나는 늘 뒤에서 누군가를 받쳐주는 역할을 주로 해왔다. 누군가를 앞에서 이끄는 것은 어색하고 서툴다. 하지만 앞으로 감당하고 헤쳐 나가야 할 위치라는 생각이 들었다.

완만한 경사에 펼쳐진 들판들은 마치 동화 속에 들어와 있는 착각을 일으켰다. 제주도의 오름을 보는 느낌이었다. 두 번째 보급을 받는 기대감에 신나기도 했지만 불안감은 여전했다. 혹시나 형이 나타나지 않을까 하며 자꾸만 뒤를 돌아보게 됐다. 그 덕에 독수리 바위Eagle Rock를 보지 못하고 지나친 것이 조금 아쉬웠다.

 PCT DAY#8 20150423

늘 뒤에서 서포트만 해주다가 처음 맨 앞에 서보다.
어색하고 서툴다. 하지만 앞으로 감당하고 헤쳐 나가야 할 위치다.
- 나 홀로 운행하며...

8일 차 워너 스프링스로 향하는 길. 저 멀리 독수리 바위가 보인다.

워너스프링스에서 PCT 첫 햄버거를 시킨 후 얼마 되지 않아 형이 멀쩡한 모습으로 문을 열고 들어왔다. 처음으로 많은 PCT 하이커들을 볼 수 있었다. 옹기종기 모여앉아 수다를 떨며 음식을 먹고, 텐트에서 낮잠을 자고... 누구의 시선도 신경쓰지 않고 각자의 일상을 즐기고 있었다. 그들의 자유로운 모습을 보면서 PCT는 극한의 도전이 아니라 하나의 문화이자 라이프 스타일이 아닐까 하는 생각이 들었다. 문득 하루하루 과제를 해나가듯 걷고 있는 내가 보였다.

"

no Heenam, He-Man!

(넌 희남이 아니고 히맨이야!)

전날에 이어 이곳에서 다시 만난 PCT 하이커 오크 Oak 아저씨는 내가 빠르다며 나를 '히맨'이라 불렀다. 그동안 고민해왔던 트레일 네임이 생겼다. 그렇게 나는 PCT 하이커 히맨 He-Man 이 되었다!

 PCT DAY#9 20150424

'환경이 사람을 만든다.'
이제 거의 적응을 마친 듯하다. 마치 그냥 일상처럼 텐트에서 눈 뜨자마자 밥을 해먹고 짐정리해서 몇 시간 걸으며 생각하고 해질 때 쯤 텐트를 치고 다시 밥 먹고 잠들고...
각자의 라이프 스타일이 있듯 이런 장거리 하이킹도 하나의 그들의 문화이자 라이프 스타일이라고 볼 수 있지 않을까?

집 떠나면 개고생이라더니 ~271km(69km)

11~12일 차 : WRCS140B(Nance Canyon) ➔ CS0157

➔ Mt. San Jacinto State Park Idyllwild CG

전날 무리한 운행으로 인한 피로가 풀리지 않아 도무지 속도를 낼 수가 없었다. 이런 날은 또 여러 가지 겹친다. 커피를 마시려 데우던 아까운 물을 통째로 엎어버리고, 그동안 문제없던 수낭은 호스가 빠지면서 걷는 중에 물이 펑펑 솟고... 그래도 겨우겨우 도착한 파라다이스 밸리 카페 Paradise Valley Café 에서 먹은 햄버거는 정말이지 한마디로 대박이었다. 그 햄버거 덕에 힘을 내서 운행할 수 있었다.

파라다이스 밸리 카페에서 작은 마을인 아이딜와일드 Idyllwild 로 가는 길은 오래전 발생한 화재로 막혀 있었다. 많은 하이커들이 차량을 타고 통제구간을 건너뛰어 바로 아이딜와일드로 이동했다. 하지만 PCT 의 모든 길을 끊김 없이 걷고자 했던 나는 우회 길을 선택했다.

처음으로 걷는 PCT 대안 길 alternate route to Idyllwild. 그동안 PCT 표식을 통한 길 안내가 잘 되어 있어 길을 헤매는 일이 많지 않았다. 혹여나 표식을 찾을 수 없더라도 애플리케이션을 이용하면 손쉽게 길을 찾을 수 있었다. 하지만 이때까지만 해도 애플리케이션 사용이 익숙지 않았다. 그 상태로 PCT 가 아닌 길을 걸어가자니 이 길이 맞는 건지 틀린 건지 알 길이 없었다.

초반에는 풍경도 좋고 바람이 거세게 불어 지루한 줄 모르고 걸었다. 하지만 대안 길로 들어서고 나서는 땡볕에 그늘 하나 없는 오르막을 오르고 또 올라야 했다. 빨리 통과하고픈 욕심에 멈추지 않고 빠른 속도로 걸었더니 어느새 형은 보이지 않게 됐다. 걱정이 된 나는 중간 중간 바닥에 화살표를 그려 방향을 알려주었고, 알아서 잘 찾아오리라 생각했다. 하지만 거의 다 도착했을 무렵, 아무리 기다려도 형은 나타나지 않았다. 해는 저물어 가고 더는 지체할 수 없어 일단 애플리케이션에 안내된 길의 끝까지 가보기로 했다. 힘겹게 길의 끝에 닿았으나 애플리케이션은 이다음에 어디로 가야 하는지 알려주지 않았다.

'이제 어떡하지??'

이곳에서부터 트레일이 막혀있어 다른 대안 길로 향해야 했다.
'No water'라는 먼저 이곳을 지나간 윤은중 님의 메시지가 붙어 있다.

문득 오른쪽으로 고개를 돌렸는데, 한 식당의 간판 밑에 쓰여 있는 작은 글씨가 눈에 들어왔다.

'어서 오세요.'

또렷한 한글 인사를 보고는 혹시나 하는 기대에 다가갔지만 영업시간이 종료된 식당의 문은 닫혀 있었다. 문 안쪽으로 카운터 쪽에 서 있는 여자의 뒷모습이 보였다. 문을 두드리고 또 두드리고 다섯 번쯤 두드렸을까, 나를 발견한 그녀가 뒤돌아 문을 열었다. 영어로 영업시간이 끝났다며 문을 닫으려는 그녀에게 나는 급히 우체국이 어디냐 물었다. 그리고 분명 한국인이라는 생각에 한국인이냐 물었다. 그녀가 답했다. 얼마만에 듣는 한국말인가! 식당 안으로 나를 들여 준 그녀에게 사정을 설명했다. 그녀는 물 한 잔을 건네며 필요한 것 없냐며 화장실 써도 되고 음식 필요한 거 있으면 얘기하라 하셨다. 토스트와 함께 오늘 걸으며 떠올렸던 시원한 우유를 마시며 잠깐의 대화를 나눴다. 이미 한국인 PCT 하이커가 있다는 소식을 알고 계셔서 신기했다.

형도 함께 왔으면 좋았을 텐데 하는 아쉬움이 들었지만 그렇다고 식당에서 마냥 기다릴 수는 없었다. 해가 저물기 전에 캠핑장을 서둘러 찾아야 했다. 일단은 우체국으로 가기로 했고 아주머니는 태워다 주시려 했지만 가까운 거리니 걷기로 했다. 다시 길에 나서는 내게 아주머니는 각종 젤리와 고구마를 챙겨 주셨다. 정말 감동이었다.

우체국은 이미 영업을 종료했다. 보급 상자는 다음날 받아도 됐지만 혹시나 하는 마음에 아직 불이 켜진 우체국 안으로 들어갔다.

"PCT 하이커인데 보급 상자를 찾으러 왔어요."

영업시간이 끝났음 알려준 우체국 여직원은 내가 불쌍해 보였는지 내 이름을 묻더니 이내 창고로 들어갔다. 그리고 보급 상자와 함께 나타났

다! 게다가 한 밤중에 나를 PCT 하이커들이 있는 캠핑장까지 차로 데려다 주기까지 했다. 얼마나 고맙던지... 아이딜와일드에는 큰 캠핑장이 두 곳이 있었다. 첫 번째 캠핑장이 텅텅 비어 있는 것을 보고 다른 캠핑장까지 차를 태워 준 그녀에게 다시 한 번 고맙다는 인사를 전했다. 다행히 캠핑장에서 형을 다시 만나면서 이날 운행은 종료되었다. 장거리 하이커들에 대한 진심이 느껴지는 이곳 사람들의 대우에 감동받았다. 낯설기만 했던 미국 사람들에 대한 이미지가 참 좋게 다가온 하루였다.

첫 제로데이 ~271km(0km)

13일 차 : Mt. San Jacinto State Park Idyllwild CG

첫 제로데이. 마치 첫 휴가를 받은 느낌이었다. 식당에서 아침을 사먹고 마을을 산책하듯 구경하고 마트에서 필요한 것들을 구매했다. 아이딜와일드에는 도서관도 있었다. PCT 자료 정리를 위해 들른 그곳에서 형과 PCT 정보에 대한 얘기를 나누고 있었다.

"한국 사람이에요?"

깜짝 놀라 뒤를 돌아보았다. 여기서 한국 사람을 또 만날 줄은 몰랐다. 한국인 아주머니는 다짜고짜 우리를 도서관 밖으로 불러냈다. 도서관 앞 벤치에 앉아 이 길과 이 길에 오게 된 이야기로부터 대화는 시작되었다. 한국 사람들이 거의 모르는 시골이라는, 유명인의 별장들이 많다는 이 마을의 사람들에 대한 이야기, 가볼만 한 식당 등... 마을에 대한 많은 이야기를 들려주시던 아주머니는 고맙게도 우리를 저녁 식사에 초대하셨다. 깊은 산골에 있는 아주머니의 집에서 우리는 맛있는 김치찌개, 고추장 돼지 불고기 등을 배터지게 먹었다. 그리고 커피 한 잔과 함께 많은 이야기와 조언들을 들을 수 있었다. 길에서 먹으라며 고추장과 김 등 각종 음식들을 챙겨주시기까지... 정말 따뜻한 재충전의 시간이었다. 곰이 나타나 가끔은 노크도 하고 간다는 그곳에서 혼자서 무섭지 않으냐 여쭈었는데, 그때 해주신 아주머니의 말씀이 아직도 기억에 남는다.

"네 발 달린 짐승보다도 사람이 더 무서워요."

 PCT DAY#13 20150428

미국와서 정말 많은 도움과 격려를 받고 있다. 한국에 있었다면 상상도 못 했을 일이다. 내 생각과 활동반경, 능력의 굴레에서 벗어나지 못한 채 스스로 모든 걸 해결하려 했을 것이다. 그랬다면 지금도 나는 제자리였을 거다.

지금 내 앞에는 불확실한 미래와 내 능력의 한계를 벗어나는 일들이 곳곳에 펼쳐져 있다. 혼자 매달려서는 불가능한 일이다. 주변 분들의 도움이 없었다면 아마 일주일도 안 돼 불가능을 깨닫고 포기했을 것이다. 많은 분들의 도움이 있었기에 지금 내가 이렇게 글을 쓰고 있는 것이다. 이런 분들을 생각해서라도 절대 포기는 없다!

내일부터 다시 달려 보자!!

그늘이 없다!!~339km(67km)

14~15일 차 : Mt. San Jacinto State Park Idyllwild CG

　　　→ Snow Creek Trail → Ziggy and the Bear

아이딜와일드를 떠나 다시 운행을 시작했다. 디어 스프링스 트레일 Deer Springs Trail 에서 수어사이드 트레일 Suicide Trail 로 진입하여 수어사이드 록 Suicide Rock, 일명 자살바위를 봤다. 그리고 스트로베리 갈림길 Strawberry

Junction 에서 드디어 다시 PCT에 복귀했다. 집에 돌아온 느낌이었다. 오랜만에 물이 흐르는 계곡과 큰 소나무들과 바위들을 볼 수 있어 좋았다. 하지만 급경사가 많아 체력과 시간이 많이 걸렸다. 뒤에서 따라오던 형이 "지겹다"고 했다. 계속되는 지그재그 오르막과 내리막의 반복에 내게도 지겨움이 찾아왔다.

'이러다 지쳐 쓰러지는 건 아니겠지??'

오전 내내 지겹도록 내리막길이 이어졌다. 무엇보다 그늘을 찾을 수 없는 상당히 고된 코스. 19km 지점의 급수지까지 걷는 동안 물은 물론이고 그늘을 단 한 번도 볼 수 없었다.

19km를 걸어 만난 급수지. 그나마 찾은 그늘이 바로 여기!

물이 펑펑 솟는 급수지를 만나 물을 300ml 넘게 마시고 1시간 넘게 충분히 쉬고 다시 기분 좋게 출발했다. 그런데 이건 뭐지?! 푹푹 찌는 더위 속의 길은 발이 푹푹 빠지는 모래로 가득했다. 길은 본격적인 사막의 시작을 알려왔고, 이때부터 나는 물먹는 하마가 되었다.

'내일도 이렇게 그늘이 없으면 어떡하지?'

앞으로의 운행을 걱정하며 걷는데 한 다리의 기둥에 박힌 PCT 마크가 보였다. 길표시구나 하며 지나치려는데 다리 밑 그늘에 웬 흰 박스 두 개가 놓여 있는 게 보였다.

'응급처치 박스인거 같은데?'

뚜껑을 열었다.

'트레일 매직이다!'

상자 안에는 얼음과 함께 탄산음료와 귤로 가득 차 있었다. 그야말로 사막 위 오아시스가 아닌가! 얼마나 행복하던지 이렇게 먹다 탈나지 않을까라는 생각이 들 정도로 들이마셨다.

2km를 더 걸어 드디어 도착한 지기 앤 베어 Ziggy and the Bear 에 도착했다. PCT 트레일 엔젤 Trail Angel 이 운영하는 이곳은 먹을 것, 씻을 곳, 빨래할 곳, 전기, 모든 것이 있는 천국이었다. PCT 에서 처음으로 제대로 된 샤워를 했다. 피자와 치킨에 망고주스까지 먹고 나니 내일 운행이 걱정되기 시작했다. 우리는 잠시 눈을 붙인 후 뜨거운 태양을 피해 첫 야간운행을 시작했다. 해가 뜨기 전 1차로 12km를 걸어 화이트워터 프리저브 Whitewater Preserve 까지 이동했다. 이곳에서 해가 기울 때까지 물놀이도 하고 그늘 밑에서 휴식 후 다시 2차 야간운행을 시작했다.

PCT DAY#16 20150501

어제도 지기 앤 베어에서 편하게 쉬고 새벽에 잠깐 걷고 화이트 워터 프리저브에 와서 또 늘어져 있다. 정말 평온하고 좋다. 근데 문득 드는 불안한 마음.

'우리 이렇게 편해도 되는 걸까?'

이건 비단 PCT에서만 느끼는 감정이 아닐 것이다. 아무것도 하지 않을 때의 불안감이란…

하지만 우리는 충분히 할 일을 하고 있고, 그것도 아주 순조롭게 잘 진행하고 있다. 지금의 행복은 우리가 아무것도 하지 않아서가 아니라, 우리가 충분히 노력한 것에 대한 보상일 것이다.

- 5/1 2차 야간 운행을 앞두고, 저녁 먹기 전…

달빛 하이킹 ~400km(31km)

17일 차 : WRCS0230(Campsite near Mission Creek)

➔ near RD0249

철저하게 계획적으로 60분 운행 10분 휴식을 취하며 18시부터 다음날 새벽 3시까지 걸었다. 걷다보니 생각보다 어둡지 않아 헤드램프를 쓰지 않고도 걸을 수 있었다. 밝은 달빛에 진 그림자가 나와 함께 걷고 있었다. 내 인생의 첫 달빛 하이킹이었다. 길을 잠시 잃어 수풀을 헤쳐 가기도 하며 쉽지 않았던 야간 운행이었지만 결국에는 성공적으로 목표 거리를 채웠다. 그리고 3시간 취침 후 다시 출발했다. 얼마 남지 않은 빅 베어 Big Bear 까지 힘을 내서 걸었다.

LA에서 도움을 주셨던 분들의 도움으로 빅 베어 레이크 Big Bear Lake 에서 PCT 첫 실내 취침을 하게 되었다. 휴식을 취하며 부족한 행동식을 보충하고 단기 운행목표를 설정했다. 약 190km 떨어진 리틀 지미 캠핑장Little Jimmy Camp Ground, CS0384까지 5일간 하루 평균 38km를 걷기로 했다.

18일 차. 빅 베어 시티로 향하던 길에 만난 트레일 엔젤 레전드(우측 끝)

맥도날드!!~551km(46km)

22일 차 : near WR0314 ➡ Mcdonald

"
형~ 39km 뒤에 맥도날드 있는데 가볼래요?

'내가 생각하는 그 햄버거 가게가 맞나?'하며 의심할 수도 있겠지만, 그 햄버거 가게가 맞다. 맥도날드까지는 무려 46km를 걸어야 했다. 형이 햄버거를 워낙 좋아하는지라 혹시나 했지만 큰 기대는 없었다.

"그래 가자!"

한 치의 망설임도 없는 형의 대답과 함께 우리는 햄버거를 향해 힘차게 걷기 시작했다. 머릿속을 가득 채운 햄버거 때문이었는지 20km 지점까지는 정말 설레는 마음으로 걸었다. 그런데 20km나 걸었는데 남은 거리가 25km라니... 햄버거 한번 먹기 참 힘들다. 그래도 형이 속도를 맞춰 잘 따라와 줬고, 결국 난생 처음 보는 산중 맥도날드 이정표를 만났다. 이후 커다란 맥도날드 로고 간판을 발견하고서는 얼마나 환호성을 질렀는지... 46km를 걸어낸 후의 달콤함은 말로 표현할 수 없는 희열로 다가왔다.(PCT 내내 몇 안 되는 환희의 순간 중 하나였다.)

우리는 스스로에게 상이라도 주듯 엄청난 양의 햄버거를 주문했다. 햄버거 2개 반, 감자튀김에 콜라 3잔과 밀크쉐이크를 먹고도 다른 하이커가 준 치킨 너겟까지 먹어 치웠다. 그렇게 가득 찬(?) 하루 일정이 끝났다.

 PCT DAY#23 20150508

"
"이제 출격인데 느낌이 어때?"
"아직 실감이 안 나는데요... 미국 가봐야 알 것 같아요."

"미국 와보니까 이제 좀 실감나? 어때?"
"아뇨, 아직… PCT 출발선에 서 봐야 알 거 같아요."

"자, 네가 그토록 바라던 PCT야. 이제 실감나지?"
"글쎄요. 생각보다 별 느낌 없네요. 감동해서 울 줄 알았는데…"

벌써 23일차. 나는 아직도 모르겠다. 그런데 문득 이런 생각이 든다. '이 PCT가 실감나는 순간, 나는 또 다른 곳을 바라보게 되지 않을까? 이상이 현실이 되는 순간, 그것은 더는 이상이 아닌 일상이 아닐까? 반대로 현실의 벽을 실감하고 모든 것을 알아 버리는 그 순간, 그 안에 갇혀 버리는 것은 아닐까?'

PCT 24번 째 해가 떠오른다.

넌 잘하고 있어!~618km(36km)

24일 차 : CS0362 ➡ Little Jimmy Campground

베이든 파월 산 _{Mt. Baden Powell}은 오늘의 목적지인 리틀 지미 캠핑장으로 가는 마지막 관문이었다. 지그재그로 오르고 또 오르는 오르막이 끝없이 이어졌다.

'네가 이기나 내가 이기나 해보자'

오르막이 끝날 때까지 이를 악물고 멈추지 않았다. 잠깐 멈추었을 때는 한국인 산악회 분들을 만나 인사를 나눴을 때 뿐 이었다. 길에서 만나는 한국 분들은 언제나 반갑고 정말 큰 힘이 된다. 그렇게 계속 걸어나가다 또다시 멈추고 싶은 순간이 찾아왔다. 맞은편에서 한 외국인 아주머니가 다가오고 있었다.

"
You are doing good!
(넌 잘하고 있어!)

Keep it up!!
(계속 걸어가렴!)

아주머니의 그 한마디는 내 심장에 불을 지폈다.

24일 차. 베이든 파월 정상으로 향하던 길에 만난
1500년 수령의 Wally Waldren Tree

안주하고 싶어지는 순간이 떠나야 할 때이다~636km(18km)

25~27일 차 : CS0384(Little Jimmy Campground)

➜ Hwy2C(Islip Saddle) ➜ WRCS0395(Cooper Canyon Trail Camp)

리틀 지미 캠핑장에서 만난 북미주 한인산악회 선배님들과 즐거운 캠핑을 한 다음날. 3.47km를 걸어 도로변 주차장까지 이동했다. 고수명 선배님의 설명과 함께 차를 타고 이동하며 앞으로의 PCT 코스를 예습할 수 있었다. 하나하나 상세하게 전체적인 PCT 코스와 앞으로 펼쳐질 길에 대해 설명해주시는 걸 들으면서, 어떻게 그 많은 길들을 아시는지 정말 대단하시다는 생각이 들었다.

이후 LA의 조영철 선배님 댁에서 이틀간 예비일을 가졌다. 마침 어머니의 날Mother's day 가족 모임에 초대받아 즐거운 시간을 보냈다. 맛있는 음식을 먹고 필요한 것들을 사고... 참 편안하고 행복했다. 하지만 떠나야 했다. 이럴 때마다 드는 생각이 있었다.

"

안주하고 싶어지는 순간이 떠나야 할 때이다.

PCT가 끝날 때까지 이 생각은 반복되었다.

다시 PCT에 돌아왔다. 대안 길을 통해 약 18km를 걸어 쿠퍼 캐년 트레일 캠프Cooper Canyon Trail Camp로 이동했다.

황색개구리 통제구간

  멸종 위기인 황색개구리_{Yellow-legged Frog} 생태보호를 위해 이글스 루스트_{Eagles Roost, 628km}부터 벅하트 트레일 갈림길_{Burkhart Trail junction, 634km}까지의 6~7km 구간이 통제되어 있다. 두가지 대안 길이 존재하는데 히맨은 조금 더 빨리 PCT에 복귀할 수 있는 길을 선택하여 걸었다.
  도로_{Hwy2} 우회길이 포함된 7.89km 길이의 대안 길_{Endangered Old Alternate}을 통해 벅혼 캠핑장_{Buckhorn CG}로 진입한다. 이후 벅하트 트레일을 통해 PCT로 복귀할 수 있다.

*다른 대안 길 및 상세 안내는 지도와 애플리케이션 정보 참조

집이 날아갔다_{~702km(34km)}

29일 차 : CS0415(668.04) ➜ WR0436(North Fork Ranger Station)

  새벽 한밤중 바람이 이리저리 강하게 부는 것을 느꼈다. 텐트 천장이 누워 배를 덮을 정도일 때도 그냥 다시 일어나겠지 하며 무시하고 계속 잤다. 그렇게 날이 밝았고 잠에서 깬 내 눈 앞에는 부러지고 찢어진 텐트가 바람에 흩날리고 있었다. 텐트 펙_{peg}을 잃어버린 후 단순하게 돌로만 고정을 했던 것이 문제였다. 상당히 당황스러웠으나 뭐 어쩌겠는가. 일단 펄럭이는 텐트 안에서 또띠아와 시리얼로 배부터 채웠다. 평소와 다를 것 없이 배낭을 꾸렸다.

  앞으로 어찌 해야 할 지 걱정하던 것도 잠시, 폭풍우는 그저 바로 앞 한 걸음 한 걸음에 집중하도록 해주었다. 눈과 비 그리고 무엇보다 강풍을 타고 매섭게 날아드는 우박에 따귀를 맞으며 걸어야 했다. 우박이 얼마나 강하게 날아오던지 버프로 얼굴을 가린 상태에서도 따가울 정도였

다. 정말 극한의 상황이었다. 체온이 떨어지며 살짝 겁을 먹기도 했다. 온 몸은 젖어 얼어갔고 특히 허벅지가 점점 얼기 시작했다. 비에 젖어 무거워진 바지는 스멀스멀 내려갔다. PCT에 온 게 한 달 만에 처음으로 실감나기 시작했다. 드디어 생존 게임이 시작된 것 같았다. 나는 이 환경과 상황을 온 몸으로 그리고 온 정신으로 받아들였다. 추위에 손을 덜덜 떨면서도 살기 위해 우걱우걱 먹어대고, 살기 위해 앞 사람을 죽어라 쫓아갔다. 그러다 보면 꼭 기적이 일어난다. 이 날도 역시나! 마지막 목적지였던 급수지는 그냥 급수지가 아닌 캠핑장이었다. 비를 피해 들어간 노스 포크 레인저 스테이션 North Folk Ranger Station에서는 샤워, 빨래가 가능하며 음식도 있었다. 운이 좋게도 레인저의 배려로 대피소 건물에서 지낼 수 있게 되었고, 다른 하이커들과 함께 소파에 앉아 영화를 보는 여유까지 누렸다. 전기난로 앞에는 젖은 신발들이 수북하게 쌓여 있었다.

PCT DAY#28 20150513

마라톤이 인생의 축소판이라면,
PCT는 인생의 시험판이라 부르고 싶다.

10:37 운행 중...

내가 식량 상자를 뜯어 먹었어요 ~736km(34km)

30일 차 : WR0436(North Fork Ranger Station) ➔ near PL0457

운행 중에 보급 상자를 받아야 했다. 아구아 둘세 Agua dulce 의 트레일 엔젤인 도나 Donna, Trail angel 에게 보급 상자를 보냈지만 그녀가 올해 (2015)는 활동을 하지 않는단다. 덕분에 중간 지점인 KOA 라는 곳으로 옮겨진 보급 상자를 받아야 했다. 처음에는 그곳에 상자가 없다고 하여 조금은 당황스러웠지만 이내 곧 직원이 숨겨진 상자를 들고 나타났다.

친구 청수가 보내준 소포도 받을 수 있었다. 부탁했던 스마트폰 외에도 라면, 커피, 그리고 영양 보충하라며 비타민까지 함께 넣어준 그의 센스에 기분이 좋아졌다. 이번엔 우리가 직접 발송한 보급 상자를 열었다. 그런데 웬 편지가 있는 게 아닌가?!

'사방을 테이프로 다 막아 놨는데 어떻게 이게 들어 있지?'

트레일 엔젤 도나가 쓴 편지였다. 응원하는 편지이겠거니 하며 봉투를 열었는데 웬 개 사진과 장문의 편지가 20 달러와 함께 들어 있었다. 들뜬 기분에 일단 인증 사진을 찍고 편지를 읽었다.

"
'내가 상자에 구멍을 내고 에너지바와 젤리를 먹었어요'

사진 속의 개는 바로 우리의 보급 상자를 물어뜯고 행동식을 훔쳐 먹은 범인이었다. 그래서 그녀가 미안한 마음에 다른 종류의 행동식을 넣어 주고 돈까지 부쳐준 것이었다. 벌을 서면서 풀이 죽은 채 벌을 서고 있는 모습을 보니 피식 웃음이 났다. 덕분에 걱정보다는 오히려 고마움과 함께 유쾌함을 느낄 수 있었다.

Dear Hee Nam,

My husband and I went away this past weekend, and while we were gone our dog chewed a hole in your box and ate a few Clif Bars and Shot Bloks. From the evidence it looks like she got two of each. I could not discern whether she had gotten anything else that was in there – I only saw the wrappers.

The box was contained behind a fence, to which we had added extra chicken wire to keep the dogs from accessing. Our pup Callie (pictured here) had to first make a hole in the chicken wire, then stick her head between the bars of the fence to reach your box. It was no easy feat. I am certain that she would have gotten much more out of the box if she had a chance.

I replaced what the dog consumed with three Clif Bars and three Shot Bloks. I hope the flavors are okay for you. If there is anything more significant that is missing, please let me know. I feel terrible that this happened dsaufley17@gmail.com or 661.810.5777.

I hope you are having a fantastic hike. Best wishes for an amazing journey.

Donna "L-Rod" Saufley

30일 차 아구아 둘세의 트레일 엔젤인 도나의 편지. 그녀의 배려에 마음이 따뜻했다. 시무룩한 모습으로 벌을 서고 있는 그의 강아지가 정말 귀여웠다.

텐트, 그러니까 집이 날아간 덕에 이날 PCT 첫 비박 cowboy camping 을 했다. 노스 포크 레인저 스테이션에서 만났던 하이커 누텔라 Nutella 와 하이워터 Hiwater 도 함께였다. 아구아 둘세의 식당에서 먹다 남은 피자와 맥주를 함께 나눠먹으며 늦은 시간까지 수다를 떨었다.

이날 이후 10일 넘게 비박을 하면서 좋았던 점은 자다 깨면 밤하늘 가득 반짝이는 별을 볼 수 있다는 것이었다. 하지만 깊은 잠을 자기는 힘들었다. 운행의 피로를 충분히 풀지 못했고 누적된 피로는 결국 조금씩 몸 상태를 좋지 않게 만들었다.

PCT DAY#30 20150515

어쩌면 PCT가 끝날 때까지도 내 본 모습은 나오지 않을 수도 있겠다는 생각이 든다. 아직 나는 정말 편하고 좋은(?) 상태이기 때문이다. 편한 환경에서 본성이 나오기는 쉽지 않다. 사람들은 어쩌면 자기 본 모습을 발견하기 위해 더욱 극한 환경으로 자신을 내던지는 지도 모르겠다.

30일 차 아구아 둘세로 향하는 길

카사 데 루나 ~802km(66km)

31~32일 차 : near PL0457 ➔ Casa de Luna(AKA the Anderson's)
　　　　　　➔ SawmillCG

　　운행이 끝난 도로 RD0478 에서 픽업 나온 트레일 엔젤인 조 Joe Anderson 아저씨를 만났다. 그리고 우리는 그의 집이자 PCT 하이커 호스팅 장소인 카사 데 루나 Casa de Luna, Anderson's house 로 향했다. 아름다운 작은 숲 혹은 정원 같은 그의 집 뒷마당은 PCT 하이커들을 위한 훌륭한 캠핑장이었다. 앞마당에서는 하이커들을 위해 만든 음식을 나눠먹으며 즐거운 파티가 펼쳐졌다. 다음날 이곳을 떠나기 전 다 같이 단체 사진을 찍을 때는 테리 아주머니 Terri Anderson 덕에 모두들 놀란 표정의 멋진 사진을 찍을 수 있었다. 아주머니는 정말 꼭 안아주면서 앞으로 길을 응원해주었다. 그저 예의로 하는 인사가 아닌 따뜻한 진심이 느껴져 좋았다.

　　다음 보급지인 하이커 타운 Hiker town 까지 가는 일부 구간이 폐쇄되어 있어 도로 Pine Canyon RD 를 통해 돌아가야 했다. 약 19km를 도로 운행하여 트레일에 진입했고, 다시 PCT 까지 2km 더 걸어야 했다.

 말과 함께하는 PCT

　　PCT는 도보 외에 말과 함께 할 수도 있다. 대체적으로 도보 길과 같으나 말이 다닐 수 있는 길이 따로 구분되어 있는 경우도 있다. 하지만 말과 함께 PCT를 하는 하이커들을 몇 번 보지 못했는데, 아마도 그 수가 많지 않기 때문일 것이다.

반대로 걷기 ~833km(31km)

33일 차 : SawmillCG ➡ WR518(Hikertown)

하이커 타운까지 약 6km 정도 남긴 지점. 이틀 전 첫 비박을 함께한 하이커 커플인 누텔라와 하이워터가 걸어오는 모습이 보였다. 다시 만난 반가움과 함께 뭔가 좀 이상하다는 생각이 들었다. 분명 우리와 같은 방향으로 가던 그들인데...

'왜 반대로 가는 거지?!'

하이커 타운까지 차량이동을 해서 그 사이의 걷지 못한 구간을 반대로 걷는단다. 건너 뛴 자리에서 이어서 계속 올라가도 됐을 텐데 그렇게 하지 않고 모든 PCT를 걸으려 뒤로 돌아 걷는 것에 놀랐다. 그리고 참 멋지다는 생각이 들었다. 나라면 절대 그렇게 하지 못 했을 거다.

33일 차 운행 중 예쁜 언덕을 만났다.

양쪽으로 멋진 풍경이 펼쳐진 드넓은 직선 길을 지나 하이커 타운에 도착했다. 출발 전 계획했던 첫 한 달 치의 보급 상자 중 마지막 보급을 이곳에서 받았다. 거의 오차 없이 완벽하게 계획대로 보급이 진행되어 기분이 좋았다.

35일 차 운행 중. 여전히 길은 뜨겁다.

자다가 깼다. 새벽일 줄 알았는데 21시 20분 밖에 안됐다.

다시 잠이 안 온다.

'배고파서 잠이 안 오나?'

야식도 먹고, 고프로로 밤하늘의 별도 찍고 했는데도 잠이 안 온다.

그냥 다리 쭉 펴고 침낭을 덮은 채 앉아 있다.

밤하늘 가득한 별들을 올려다본다.

문득 생각한다.

"
'왜 이 고생을 사서하고 있는 거지?'

나도 모른다. 이 길이 끝나는 날 아마도 알게 되지 않을까?

다시 누웠다. 밤하늘을 멍하니 쳐다본다.

엇, 짧게 별똥별이!!

20150520 PCT 35일 차 21시 20분
비박 중 잠에서 깨어 침낭을 덮은 채 앉아서…

정답은 없다 ~899km(27km)

36일 차 : WRCS542(Tylerhorse Canyon)

→ WR558(Oak Creek)

운행도중 테하차피 마을에서 점심만 먹고 다시 복귀하기로 했다. 햄버거가 정말 먹고 싶었다. 식당을 찾고 있던 우리에게 한 아저씨가 다가왔다. 아저씨는 근처의 타코 식당을 추천하더니 우리에게 제안을 했다.

"괜찮으면 우리 집에서 머물러도 돼"

제안이라기보다 초대가 맞겠다.

'트레일 매직이다!'

브렌트 아저씨와 함께 인디언 타코를 먹고 그의 집으로 향했다. 집에 도착하자마자 창고에서 직접 만들었다는 텐트를 꺼내어 자랑스레 보여주었다. 집에 들어서자 제시 아주머니가 반갑게 맞아주셨다. 직접 지었다는 집의 실내는 아기자기하고 섬세하게 꾸며져 있었다. 화장실 문에 달린 귀여운 장식에 미소가 지어졌다.

맛있는 저녁을 함께한 후 늦은 밤까지 한국과 미국의 문화에 대해 많은 이야기를 나눴다. 짧은 영어 실력 탓에 모든 말을 이해할 수는 없지만 무척 즐거운 시간이었다. 특히 취업, 결혼과 같은 것들에 정답이 있거나 꼭 언제 해야 하는 때가 있는 것이 아니라는 말이 인상 깊었다. 그리고 무조건 많은 경험을 해볼 것을 강력히 추천했다. 이곳에서 만난 어른들은 한국인이건 외국인이건 모두 경험을 중요하게 생각했다.

'나 잘하고 있는 거겠지?'

40일 차 : WR616(Kelso Valley Road)

→ TR0637(Trail junction to Yellow Jacket Spring)~1025km(34km)

PCT 1000km 지점부터 모래가 쌓인 오르막이 많아졌다. 1000km 를
걸었다는 성취감과 기쁨도 잠시, 이후 약 10km 의 급경사 오르막 구간
은 물과 그늘을 전혀 찾아볼 수가 없었다.

PCT DAY#39 20150524

1,000km!!
1m, 아니 그보다 더 작은 한 걸음으로 시작하여 이룬 결과다. 아니
과정이라고 하자.
하고자 하는 의지, 단 1cm라도 움직이려는 실행력만 있으면 된다.

깔끔한 PCT 하이커 ~1049km(24km)

41일 차 : TR0637(Trial junction to Yellow Jacket Spring)
→ Hwy178(Walker Pass, to Onyx/Lake Isabella)

힘겨운 히치하이킹 끝에 레이크 이자벨라 Lake Isabella 의 맥도날드에 도착했다. 맞은편에 앉아 스마트폰에서 눈을 떼지 않고 있는 한 여자가 눈에 들어왔다.

'한국인인가?'

이곳에 사는 주민이겠거니 하며 화장실에 다녀왔는데... 형이 그 여자와 한국말로 인사를 나누고 있었다. 깔끔한 차림이라 상상도 못했는데 PCT 하이커란다. 그렇게 한국인 PCT 구간 하이커 PCT section hiker 를 만났다. PCT 하이커 답지 않게 너무 깔끔해서 다른 하이커들이 붙여 줬다는 그녀의 트레일 네임은 스파클 Sparkle 이었다. 그리고 보니 얼마 전 읽은 윤은중 님의 방명록 첫 줄에 등장했던 '힘내라 김미선!'의 주인공이었다. 이미 우리의 목적지인 이자벨라 모텔에서 머물고 있었던 그녀와 함께 이야기를 나누며 즐거운 시간을 보냈다.

PCT 1,000km 돌파 기념으로 처음 사비를 들여 잡은 모텔은 매우 만족스러웠다.(남은 방이 없어 어쩔 수 없이 가장 큰 객실을 잡아서 일 수도...) 먹고 싶은 것들도 맘껏 먹고, 수영도 하고... 이런 여행이라면 한 번 더 할 수도 있겠다는 생각도 들었다.

이런 여행이라면 한 번 더 할 수도 있겠는데?

20150527 PCT 42일 차 8시 33분
레이크 이자벨라 모텔 수영장에서…

PCT 캘리포니아 남부 보급지&랜드마크

 보급 1 : 라구나 (Mt. Laguna PO, 66.8+0.4)

라구나는 거의 모든 PCT 하이커들의 첫 보급지이다. 작은 상점과 상점 바로 옆의 우체국에서 보급 상자를 받을 수 있다. 우체국 이용 시에는 미리 우체국 운영시간을 꼭 확인한 후 운행을 계획하기 바란다. 상점에서도 보급 상자 수령이 가능하므로 운영시간이 짧은 우체국보다는 가게로 보급 상자를 보내는 것이 좋다. 상점에는 하이커에게 필요한 다양한 물품들이 구비되어 있어 보급에 유리하다. 누군가에게 편지를 쓰고 싶다면 이곳에서 살 수 있는 나무로 만들어진 엽서를 추천한다. 이후 다른 곳에서는 이러한 특색 있는 엽서를 찾아보기 힘들다.

 주소 : c/o General Delivery Mt. Laguna, CA 91948

• 라구나 마운틴 로지&스토어**

―――――――――――――――――――――― last check : 2017/4/14

이글 록 (Eagle Rock, 171.0+0.0)

이글 록은 워너스프링스Warner Springs로 향하는 도중에 만날 수 있는 독수리 형상의 거대한 바위이다. 많은 PCT 하이커들의 대표적인 사진 촬영 장소이기도 하다.

히맨의 PCT 캘리포니아 남부
보급지&랜드마크(영상) : http://bitly.kr/1scaR**

보급 2 : 워너 스프링스 (Warner Springs, 176.2+1.6)

워너 커뮤니티 센터Warner Community Resource Center는 식사/세탁/샤워/인
터넷 PC 등이 가능하며 작은 상점과 저렴하고 맛있는 햄버거 세트를 맛
볼 수 있는 식당이 있다. 작은 상점의 자세한 판매 품목은 아래 링크에
서 확인할 수 있다. 주변으로 많은 하이커들이 자유롭게 텐트를 치고 쉴
수 있는 넓은 공간이 있다.

일반적으로 3월 중순부터 5월까지만 운영을 하므로 캐나다 쪽에서 내
려오는 SOBO 하이커들은 시기상 상점과 하이커를 위한 세탁 등의 서비
스 이용이 불가능하다. 2017년은 홈페이지 공지를 기준으로 4월 1일부
터 5월 31일까지만 운영되었다. 또한 커뮤니티 센터는 비교적 이른 오
후 6시에 운영을 종료하니 운행 계획 시 참고할 것. 우체국은 도로를 따
라 2km 근방에 위치하고 있다.

주소 : c/o General Delivery Warner Springs, CA 92086

• 워너 스프링스 커뮤니티 리소스센터[※※]

———————————————————————— last check : 2017/12/26

 ## 파라다이스 밸리 카페 (Paradise Valley Café, 244.5+1.6)

파라다이스 밸리 카페는 더위에 지친 하이커들이 맛있는 식사와 함께
재충전하기에 좋은 식당이다. PCT에서 그리 멀지 않지만 친절하게도 픽
업서비스를 제공한다. 음식은 대체적으로 비싼 편이지만 맛은 훌륭하다.
특히 히맨이 먹었던 '더 거스 버거The Gus burger'는 PCT에서 먹은 햄버거
중 단연 최고였다. 대부분의 PCT 하이커들이 들러 가는 이곳에서 다른

하이커들과 운행정보를 공유하며 앞으로의 계획을 세우기에 좋다. 화재로 통제 된 구간을 건너뛰어 아이딜와일드까지 차량 픽업해주기도 한다. 물론 통제 구간을 우회하는 대안 길이 있어 도보이동도 가능하다.

월요일과 화요일에는 오후 3시까지만 운영되니 참고 할 것.

 주소 : c/o Paradise Corner Cafe 61721 Hwy 74
Mountain Center, CA 92561

- 파라다이스 밸리 카페 홈페이지[**]

———————————————————————— last check : 2017/12/26

파라다이스 밸리 카페

📦 보급 3 : 아이딜와일드 (Idyllwild, 288.7+7.2)

아이딜와일드는 영화 속에 나올 법한 아기자기하고 평화로운 분위기의 마을이다. 히맨에게는 생각지 못한 트레일 매직으로 가득했던 마을이기도 하다. 마을 주변으로 일명 자살 바위Suicide Rocks를 비롯한 다양한 암벽 루트들이 존재하여 많은 클라이머들이 이곳을 찾기도 한다. 샤워시설 등을 갖춘 두 개의 커다란 캠핑장이 있으며, 우체국과 컴퓨터 사용이 가능한 도서관, 마트 등 각종 편의시설이 몰려 있어 보급에 용이하다. 도서관에서는 급수지의 위치와 상태를 알 수 있는 최신의 워터리포트Water Report를 받아 볼 수 있으니 참고할 것. 한국인이 운영하는 식당이 있으나 가격은 비싼 편이다.

주소 : c/o General Delivery Idyllwild, CA 92549

• 아이딜와일드 홈페이지**

last check : 2017/10/25

아이딜와일드의 미용실
아이딜와일드에는 PCT 하이커를 반기는 아기자기한 상점과 식당들이 많다.

지기 앤 베어 (Ziggy and the Bear, 339.25+0.3)

지기 앤 베어는 2017년부터 운영되지 않는다.

트레일 엔젤의 PCT 하이커 호스팅 장소인 이곳은 뜨거운 사막의 오아시스와 같은 곳이다. 시원한 천막 그늘 아래에서 공짜 피자·치킨과 함께 여유를 즐길 수 있다. 샤워와 빨래는 물론 무선인터넷도 가능하다. 누우면 밤하늘 가득한 별을 감상할 수 있는 것은 보너스.

- 지기 앤 베어 폐쇄 소식 1**
- 지기 앤 베어 폐쇄 소식 2**

last check : 2018/3/7

 ## 화이트 워터 프리저브 (Whitewater Preserve, 351.7+1.0)

화이트 워터 프리저브는 야영이 가능하며 화장실과 냉수욕이 가능한 계곡이 있는 휴양지이다. 이후 나타날 뜨거운 사막을 걷기 전에 꼭 들러 휴식을 취할 것을 권한다. PCT에서 약 1km 떨어져 있다.

- 화이트 워터 프리저브 정보페이지**

last check : 2017/4/14

 ## 보급 4 : 빅 베어 시티 (Big Bear City, 428.2+8.7)

빅 베어 시티와 빅 베어 레이크Big Bear Lake는 서로 약 8km 떨어진 다른 마을이다. 때문에 보급 발송 시 주소를 확실히 확인해야 한다. 빅 베어 레이크가 조금 더 큰 마을이며 볼거리가 많다. 빅 베어 레이크에서 예비일을 갖게 된 히맨의 경우 다음 날 자전거를 빌려 빅 베어 시티의 우체국으로 이동하여 보급 상자를 수령해야 했다. 트레일 엔젤인 파파스 머프Papa Smurf가 운영하는 PCT 하이커 호스팅 장소 또한 빅 베어 시티에 위치하고 있으니 참고할 것.

 주소 : c/o General Delivery Big Bear City, CA 92314

• 빅 베어 레이크 홈페이지**

last check : 2017/4/14

딥 크릭 핫 스프링스 (Deep Creek hot springs, 495.6+0.0)

히맨이 강력 추천하는 온천 계곡이다. 시원한 물놀이도 좋지만 그보다 긴장된 몸을 풀어 줄 수 있는 따뜻한 물은 정말 한번 들어가면 나오기

딥 크릭 핫 스프링스.

힘들 정도다. 돌로 막아 탕처럼 만들어 놓은 곳은 따뜻하며 밖은 차가운 물로 되어 있어 취향대로 휴식을 취할 수 있다. 이곳에서 남의 시선을 신경 쓰지 않는 자유로운 알몸의 하이커들을 어렵지 않게 볼 수 있다.

• 딥 크릭 핫 스프링스 소개 페이지[**]

──────────────────── last check : 2017/4/14

📍 맥도날드 (McDonalds, 550.4+0.8)

끝없이 뜨거운 길을 걷다가 '맥도날드'라고 적힌 이정표를 보게 된다면 그 기분이 어떨까. 카존 패스Cajon Pass에서 만날 수 있는 맥도날드는 PCT 하이커에게 흔히 볼 수 있는 동네 햄버거 가게 그 이상의 의미를 가진다. 바로 옆에는 주유소와 함께 작은 마트가 있으며, 샌드위치 가게인 서브웨이도 있어 보급에 충분하다. 근처의 호텔에서도 보급 상자를 받아볼 수 있다. 근처에서 야영 시 수시로 오가는 화물열차의 소음으로 밤새 잠을 설칠 수도 있으니 참고할 것.

맥도날드 이정표

보급 5 : 라이트우드 (Wrightwood, 594.5+7.2)

히맨은 보급 계획에 착오가 생겨 운행 중 라이트우드를 지나쳐야 했다. LA에서 예비일을 가진 후 지인의 도움을 받아 라이트우드 우체국에 잠시 들러 보급 상자를 받아 볼 수 있었다. 때문에 작은 식당들이 몰려있는 것을 본 것 외에 마을을 제대로 살펴보지 못했다. 다른 하이커들에 따르면 꽤 매력적인 마을이라고 한다. 식당뿐만 아니라 장비점도 위치하고 있으니 한 번 들러 쉬어가는 것도 좋겠다.

 : c/o General Delivery Wrightwood, CA 92397

last check : 2017/4/14

베이든 파월 (Mt. Baden Powell, 608.2+0.2)

2867m의 베이든 파월Mt. Baden Powell 정상으로 향하는 길은 PCT가 아닌 대안 길alternate route이다. 정상으로 향하는 갈림길을 만나기 전까지 수많은 지그재그 오르막인 스위치백Switchback을 올라야 한다. 갈림길에서 PCT를 벗어나 220m 정도만 올라가면 베이든 파월 산의 정상을 만날 수 있다. 방명록을 남기는 것도 잊지 말 것.

24일 차. 베이든 파월 정상에서 바라본 풍경

보급 6 : 아구아 둘세 (Agua Dulce, 731.4+1.6)

아구아 둘세의 PCT 하이커 호스팅 장소인 하이커 헤븐Hiker's Heaven이 2016년 4월부터 운영을 재개했다. 많은 PCT 하이커들이 각종 편의시설을 갖춘 이곳으로 다시 몰려들고 있다. 하이커 헤븐이 하이커들과 함께 하기 시작한지 20주년인 2017년에는 점점 늘어나는 하이커들로 인해 새로운 이용 규칙을 세운 것으로 보인다.(상세 내용은 링크 참조)

하이커 헤븐은 2015년 한 해 동안 운영을 중단했었다. 때문에 히맨은 하이커 헤븐으로 보냈던 보급 상자를 약 16km 전에 만날 수 있는 일종의 캠핑 체인인 Acton KOA에서 받아야 했다.

 : c/o The Saufleys 11861 Darling Road Agua Dulce, CA 91390

• 하이커 헤븐 홈페이지**

last check : 2017/4/14

 ## 카사 데 루나 (Casa de Luna, 769.6+3.2)

트레일 엔젤인 안데르손Anderson의 PCT 하이커 호스팅 장소이다. '카사 데 루나'라는 이름은 PCT 하이커들이 이곳까지 오는데 한 달 정도 걸린다 해서 지어진 이름이다. 앞마당에서는 많은 PCT 하이커들이 모여앉아 음식과 맥주를 즐긴다. 텐트를 치고 쉴 수 있도록 개방하는 넓은 뒷마당은 마치 평화로운 공원같다.

매일 카사 데 루나와 트레일 사이를 오가는 픽업 서비스를 해주며, 아침이면 하이커들을 위해 한두 시간씩 팬케이크를 굽는 안데르손의 모습은 그야말로 감동적이다. 이곳에서 받을 수 있는 PCT 반다나에는 깔끔한 디자인의 지도와 대략적인 거리, 그리고 주요 포인트들이 새겨져있다. 또한 하이커 투 트레일Hiker to Trail과 하이커 투 타운Hiker to Town이 쓰여 있어 히치하이킹을 할 때 보여주는 사인으로 꽤 쓸모가 있다.

- 카사 데 루나 페이스북 페이지**

last check : 2017/4/14

카사 데 루나

🎁 보급 7 : 하이커 타운 (Hiker town, 833.0+0.4)

하이커들을 위해 마을처럼 꾸며놓은 PCT 하이커 호스팅 장소이다. 컨테이너로 된 침대를 갖춘 작은 방들이 있으며 하루 이용료는 20달러 이다.2015년 기준 물론 무료로 야영이 가능한 넓은 마당도 있다. 차량 픽업을 통해 근처 가게에서 음식 및 식량 구매가 가능하다. 한 가운데 위치한 건물에는 부엌과 화장실, 쇼파, 냉장고 등이 있으며, 전기, 샤워, 빨래, 무선인터넷 등을 무료로 이용할 수 있다. 홈페이지를 통해 미리 구경해보는 것도 좋겠다.

주소 : c/o Hikertown 26803 W. Ave. C-15 Lancaster, CA 93536

* 하이커 타운 홈페이지**

———————————————————————————— last check : 2018/1/3

하이커 타운: 히맨의 방 앞에서

테하차피 (Tehachapi, 911.5+14.8)

대형마트와 장비점 등이 있는 비교적 큰 마을이다. 일반적으로 히치하이킹을 통해 이동하지만 테하차피의 트레일 엔젤 리스트를 참고하여 차량 픽업을 요청하면 어렵지 않게 이동 가능하다.

식당으로는 레드 하우스 BBQRed House BBQ를 추천한다. 현지 주민의 추천으로 간 이곳에서는 북미 원주민Native American들의 음식을 맛볼 수 있다. 이 식당 벽에 가득한 낙서들 중 히맨이 남긴 사인을 찾아보시라.

주소 : c/o General Delivery 1085 Voyager Dr Tehachapi, CA 93581

- 테하차피 트레일 엔젤 리스트(2016/6/3)**

last check : 2017/4/14

 보급 8 : 오닉스 (Onyx, 1049.3+28.5)

아주 작은 시골마을. 우체국 하나가 오닉스의 전부라고 볼 수 있다. 우체국 앞의 유일한 주유소 상점은 문을 닫은 지 꽤 오랜 시간이 지난 듯하다. 보급 상자만 받은 후 트레일로 돌아갈 계획이 아니라면 이곳에서 보급 받는 것은 추천하지 않는다. 같은 방향으로 조금 더 떨어져 있는 레이크 이자벨라Lake Isabella의 우체국에서 보급 및 휴식을 취할 것을 권한다.

주소 : c/o General Delivery Onyx, CA 93255

last check : 2017/4/14

📍 레이크 이자벨라 (Lake Isabella, 1049.3+59.5)

오닉스에서 31km 가량 더 떨어진 마을이다. 대게 도로_{Hwy 178}에서의 히치하이킹을 통해 이동하는 레이크 이자벨라는, 우체국은 물론 대형마트도 있는 비교적 큰 마을이다. 머물 곳이 필요하다면 레이크 이자벨라 모텔_{Lake Isabella Motel}을 추천한다. 매일 저녁이면 주인아주머니가 손수 피자, 스테이크, 샐러드 등의 다양한 음식들을 정성스레 차려준다. 객실 문을 열면 바로 내려다보이는 수영장에서 많은 하이커들이 물놀이를 즐긴다. 무선인터넷이 불가능한 것이 유일한 단점이다.

넬다스 디너_{Nelda's diner}의 쉐이크를 꼭 먹어보길 추천한다. 약 100가지의 쉐이크 메뉴판을 보면 잠시 고민에 빠지게 될 것이다.

주소 : c/o General Delivery Lake Isabella, CA 93240

• 넬다스 디너 페이스북 페이지**

———————————————————————————— last check : 2017/4/14

레이크 이자베라 모텔은 하이커들에게 푸짐한 저녁식사를 무료로 제공한다.

Home of Legendary Shakes
All our Shakes & Malts are hand dipped using the finest ingredients obtainable. We're sure you'll agree.

Frank's Shakes

10
Strawberry Cheesecake & Cookies & Vanilla

AKA
Pistachio Almond, Banana & Nuts

Bash Bros Special
Chocolate Chip, Rocky Road, Butterfinger, M&Ms & Banana

Birdhouse
Cherry Vanilla, Chocolate Syrup & M&M's

Bon Bon
Cherry Vanilla & Chocolate

Butter M Up
Chocolate, M&Ms & Butterfinger

Butternutz
Butterfinger, Butterscotch & Nuts

Camarino's
Chocolate & Peanut Butter

Raspberry Sherbet

Cherry-Berry
Cherry Vanilla & Strawberry Cheesecake

Coco Latte
Coffee & Chocolate Syrup

Chocolate Extreme
Chocolate, Fudge, M&M's & Butterfinger

Cookie Stash
Cookies & Vanilla & Pistachio Almond

Frog's Chocolate
Fudge & Chocolate Syrup

Fantasy
Chocolate, Strawberry & Rainbow Sprinkles

Gravel Pit
Rocky Road, Fudge & Crunch

Green Finger
Pistachio Almond & Butterfinger

Tropical Twist
Raspberry Sherbet, Cherry Vanilla, Pineapple & Sprinkles

---

3 B Shake
Peanut Butter, Butterfinger, & Butterscotch

Andy Shake
Cookies & Vanilla, Chocolate & Butterscotch

BB King
Butterfinger, Butterscotch & Chocolate Syrup

Black Wolf's Snack
Chocolate Chip, Cookies & Vanilla, & M&M's

Book'em Dano
Strawberry Cheesecake & Strawberry

Butter-Butter Chip
Chocolate Chip, Butterfinger & Butterscotch

Buttery Blast
Peanut Butter, Butterfinger & Nuts

Candie's
Chocolate, M&M's & Reese's Pieces

Charmed Life
Pistachio Almond & Strawberry

Chief Crazy Horse
Chocolate Syrup, Peanut Butter, Butterfinger, & Banana

Chocolate Banana
Chocolate & Banana

Close Encounter
Mint Chip & Cherry Vanilla

Cookies & Vanilla

Enigma
Chocolate, Fudge & Reese's Pieces

Fast Eddie's
Chocolate Chip, Cookies & Vanilla, Fudge, M&M's & Reese's Pieces

Green Day
Pistachio Almond & Mint Chip

Justin Time
Chocolate, Butterfinger & Reese's Pieces

KTLS
Cookies & Vanilla & Cherry Vanilla

AJ's Special
Chocolate & Reese's Pieces

Banana

Big Five
Chocolate, Reese's Pieces, Caramel

Bolanger
Rocky Road, Fudge, Cho

Brown Eyed Girl
Rocky Road, Caramel, Chocolate

Butterfinger
Mint Chip, Butterfinger

Cafe Puggles
Vanilla, Strawberry,

CCMRS
Cookies & Vanilla, C
Sprinkles

Cherry Vanilla

Chip
Chocolate Chip

Chocolate

Coffee

Crunch T
Rocky Road, R

F Zero
Strawberry C
M&Ms

Grandpa
Peanut Butter

Green E
Mint Chip &

Kick Flip
Cherry Vanilla

LALA
Caramel & Ch

행복한 고민

레이크 이자벨라의 넬다스 디너.
메뉴판은 다양한 종류의 쉐이크 이름들로 가득하다.

2. 캘리포니아 중부
PCT C.CA

2. PCT 캘리포니아 중부

PCT Central California

구 간 : 워커패스(Walker Pass/Hwy 178, 1049.29km)
~ 그래니트 치프 야생보호구역(north of the
Granite Chief Wilderness, 1835.13km)

소요기간 : 36일(예비일 6일)

보 급 : 4회

시에라 중부구간Central Sierra이라고도 하는 캘리포니아 중부구간은 시에라 남부South Sierra에서부터 그래니트 치프 야생보호구역까지 이어진다. 케네디 메도우즈에서 뜨거운 사막구간을 이겨낸 것을 축하하는 수많은 하이커들을 만날 수 있다. 이후 존 뮤어 트레일John Muir Trail, JMT과 대부분의 길을 공유하며 투올러미 메도우즈Tuolumne Meadows까지 이어진다. PCT의 가장 높은 지점인 포레스터 패스Forester Pass, 4009m 등 수많은 높은 패스Pass들을 만나게 된다. 때문에 PCT에서 체력적으로 가장 부담을 느끼는 구간이기도 하다. 그럼에도 많은 하이커들이 선호하는 구간으로 캘리포니아 중부 구간을 꼽는 데는 이유가 있다. PCT를 잠시 벗어나 미국 본토에서 가장 높은 휘트니 산Mt. Whitney, 4421m에 오를 수 있고, 눈 쌓인 뮤어 패스Muir Pass 대피소의 온기도 느낄 수 있다. 사막에서는 볼 수 없었던 수많은 호수가 어우러진 풍경, 종종 마주치는 마모트, 사슴, 곰 등 다양한 야생 동식물들은 긴장감과 함께 지루함을 달래준다.

히맨의 PCT 캘리포니아 중부
훑어보기(영상) : http://bitly.kr/2ccaW***

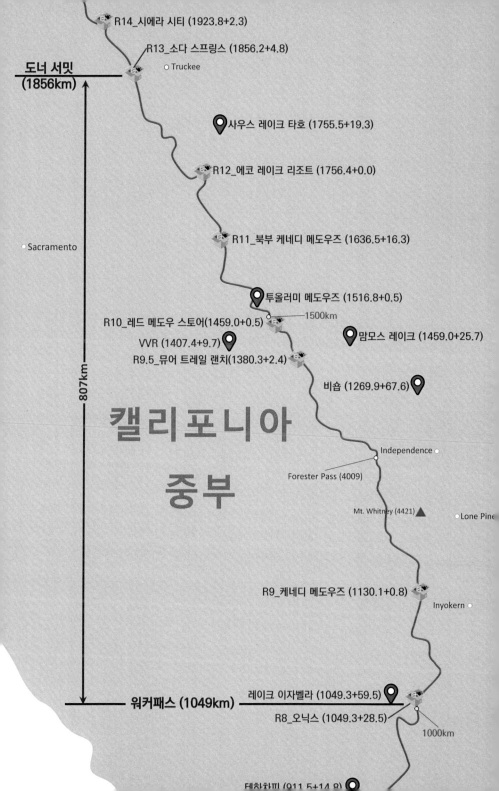

R14_시에라 시티 (1923.8+2.3)

R13_소다 스프링스 (1856.2+4.8)

도너 서밋
(1856km)

○ Truckee

사우스 레이크 타호 (1755.5+19.3)

R12_에코 레이크 리조트 (1756.4+0.0)

○ Sacramento

R11_북부 케네디 메도우즈 (1636.5+16.3)

투올러미 메도우즈 (1516.8+0.5)

1500km

R10_레드 메도우 스토어(1459.0+0.5)

VVR (1407.4+9.7)

맘모스 레이크 (1459.0+25.7)

R9.5_뮤어 트레일 랜치(1380.3+2.4)

비숍 (1269.9+67.6)

807km

캘리포니아

중부

Independence ○

Forester Pass (4009)

Mt. Whitney (4421) ▲

○ Lone Pine

R9_케네디 메도우즈 (1130.1+0.8)

Inyokern ○

워커패스 (1049km)

레이크 이자벨라 (1049.3+59.5)

R8_오닉스 (1049.3+28.5)

1000km

테하차피 (911.5+14.8)

Day	Date	Location(from)	Location(to)	운행거리	PCT km	다인길	기상	Start	End	휴식횟수	코스 및 운행특이사항
43	2015-05-28	Hwy178(Walker Pa	near WR669B	28.03	1077.41		5:41	10:25	18:00	3	PCT 1/4지점 통과. 너덜지대가 종종 나타남. 13~14km지점부터 급경사 내리막, 이어서 무단
44	2015-05-29	near WR669B	near RD0689	31.51	1108.92		5:00	7:00	16:01	4	-
45	2015-05-30	near RD0689	Kennedy Meadows	21.2	1130.12		5:22	6:57	12:08	3	7km지점까지 계속되는 내리막(시라단 앞 6km속도로 이동). 14km 지점 Kern river에서 급수
46	2015-05-31	Kennedy Meadows	WACS0716	22.93	1153.05		5:58	17:30	22:53	1	아간운행 Kennedy Meadows Store에서 출발하여 총 운행거리 24.17km
47	2015-06-01	WACS0716	TR0736	32.02	1185.07		5:55	16:22	0:10	2	아간운행 사부거리종료, 운행 중 Korean PCT section hiker Sparkle 만나 다음 Camp site에
48	2015-06-02	TR0736	near WA0751	23.47	1208.54		7:32	10:08	19:50	1	처음 만나는 호수 옆 사이트
49	2015-06-03	near WA0751	WACSBB0767B(W	26.52	1233.29	1.77	6:37	10:22	17:55	2	Whitney Spur Trail 초입, 이후 1.77km지점에 있는 계곡 옆 사이트(베어박스 있음)베어캔 보
50	2015-06-04	WACSBB0767B(W	Mt. Whitney - WAC	23.28	1233.29	23.28	2:04	3:07	11:29	1	Mt.Whitney(4421) 등정(왕복 25.6km). 셜산래로 보이는 호수가 아름다운 후 산
51	2015-06-05	WACSBB0767B(W	WACSBB0784B	28.86	1262.15		5:21	7:15	15:17	0	Forester Pass(3998)
52	2015-06-06	WACSBB0784B	Onion Valley(throu	19.64	1268.92	12.87	7:03	13:24		1	Bullfrog Lake Trail을 통해 Kearsarge Pass(3594) 넘어 Onion Valley로 이동. 운행 중 만나
53	2015-06-07	Bishop. large town	Bishop. large town	0	1268.92		6:38	-	-	-	예비일, 식량구매
54	2015-06-08	Onion Valley(from	WACSBB0793B(th	20.02	1277.01	11.93	8:03	15:38	22:23	3	아간운행 Onion Valley Trail을 통해 Kearsarge Pass(3594)를 다시 넘어 on PCT. Glen Pas
55	2015-06-09	WACSBB0793B(th	WACS0808B	24.77	1301.78		5:37	9:09	19:29	5	컨디션 악화로 당일 최종 사이트까지 운행하지 못하고 Pinchot Pass(3701)를 넘어 직후 자지
56	2015-06-10	WACS0808B	WACS0821	18.67	1320.45		7:17	9:32	16:23	4	Mather Pass(3687)
57	2015-06-11	WACS0821	WACS0841	32.37	1352.82		5:25	7:58	20:33	4	-
58	2015-06-12	WACS0841	near WACS0858B	31.89	1383.24	1.47	5:27	7:40	17:43	4	1383.24km지점인 Florence Lake TR2 Trail Junction까지 이동한 후, Muir Trail Ranch로 이
59	2015-06-13	near WACS0858B	near WACS0864	8.36	1390.13	1.47	5:47	18:17	21:13	4	아간운행
60	2015-06-14	near WACS0864	CS0892B	45.02	1435.15		4:00	5:29	19:58	4	Long Day, Selden Pass(3325) 및 Silver Pass(3334). 반대 방향으로 가는 hiker에게서 양희
61	2015-06-15	CS0892B	Reds Meadow Trail	24.5	1459.08	0.57	4:00	5:40	12:06	1	앞 3km 운행지점에서 출발하여 당일 최종 사이트 종료 대비 하고. Reds Meadow Store - (bus) - Mamm
62	2015-06-16	Reds Meadow Trail	Mammoth Lakes to	0	1459.08		7:25	-	-	-	예비일
63	2015-06-17	Mammoth Lakes to	Mammoth Lakes to	0	1459.08		6:56	-	-	-	예비일
64	2015-06-18	Mammoth Lakes to	near WA0926	30.65	1489.73		7:00	10:40	20:34	4	Reds Meadows로 이동하여 on PCT.
65	2015-06-19	near WA0926	Tuolumne CG(Tuo	25.9	1514.14	1.49	4:40	6:33	14:44	2	-
66	2015-06-20	Tuolumne CG	Yosemite Valley Tr	0	1514.14		5:11	11:01	13:03	0	Shuttle bus 탑승하여 12 : Olmstead point로 이동하여 트레일 진입(to Half dome). 하지만 거
67	2015-06-21	Yosemite Valley Tr	WACS0963	35.82	1549.96		5:32	7:31	18:40	3	앞 8~9km지점 Glen Aulin Backpacker Campground. 급경사 오르막 내리막이 반복되는 구
68	2015-06-22	WACS0963	WACS0982	31.09	1581.05		5:00	7:19	17:50	3	Benson Pass(3086). 짧고 급한 오르막 내리막, Junction에서 길을 잘 못 들지 않도록 주의
69	2015-06-23	WACS0982	WA1002	32.21	1613.26		5:19	6:58	15:42	3	1600km 및 1000mile 지점! 요세미티 구간 종료, Junction에서 길을 잘 못 들지 않도록(F
70	2015-06-24	WA1002	Hwy108(to Norther	23.34	1636.6		5:15	6:59	12:43	1	꾸준한 오르막(약 900m). Hwy108에서 운행종료 후 Northern Kennedy Meadows로 하치
71	2015-06-25	Northern Kennedy	Northern Kennedy	0	1636.6		5:05	-	-	-	예비일(아침종 대문 런디션 이상으로 계획 급수장)
72	2015-06-26	Hwy108(to Norther	WACS1035	29.78	1666.38		5:31	9:48	17:25	1	-
73	2015-06-27	WACS1035	WACS1063	44.28	1710.66		4:42	6:00	16:22	3	-
74	2015-06-28	WACS1063	Hwy50(to South La	44.75	1755.41		4:08	5:33	16:32		-
75	2015-06-29	South Lake Tahoe	South Lake Tahoe	0	1755.41		8:04	-	-	-	-
76	2015-06-30	Hwy50(to South La	WACS1102	17.39	1772.8		7:05	11:10	19:10	1	하치하이크으로 on PCT하여 2.5km 지점인 Echo Lake Resort로 이동하여 재보급함 후
77	2015-07-01	WACS1102	WACS1127	41.17	1813.97		5:24	7:01	18:17	2	Dicks Pass(2858)
78	2015-07-02	WACS1127	RD1153(to Soda S	42.22	1856.19		3:23	5:07	15:35	4	-
79	2015-07-03	RD1153	Truckee	0	1856.19		5:51	-	-	-	예비일: Soda Springs Store에서 만나 외국인 부부의 초대(Truckee)로 이틀간 집에서 지냄
80	2015-07-04	Truckee	Truckee	0	1856.19		6:25	-	-	-	예비일

Day	Date	조식	중식	석식	Water(ml)	대변	소변
43	2015-05-28	컵라면+러스크+우유(씨리얼)	행동식	재료그램할파미+고추장+라면스프+누룽지	1600	-	5
44	2015-05-29	오니시 빅미+미소된장국+우유(씨리얼)	행동식	재료그램일파미+참치	2100	-	4
45	2015-05-30	또띠아(땅콩포도)+우유(씨리얼)	매식(더블치즈버거, Kennedy Meadows Store)	매식(연꾸 및 다과, Kennedy Meadow Store)	1500	1	3
46	2015-05-31	또띠아+우유(씨리얼)	매식(더블치즈버거, Kennedy Meadows Store)	오니시 빅미+고추장+자반김	900	-	5
47	2015-06-01	또띠아(땅콩포도)+우유(씨리얼)	행동식	행동식/오니시 빅미+고추장+자반김	950	1	4
48	2015-06-02	또띠아+우유+우유	오니시 빅미+고추장+자반김+라면스프+또띠아+		550	-	3
49	2015-06-03	또띠아+우유+우유	행동식	오니시 빅미+고추장+라면스프	750	1	4
50	2015-06-04	또띠아+우유+핫초코	재료그램일파미+고추장+라면스프	-	-	-	3
51	2015-06-05	핫초코우유+피넛버터	행동식		300	-	1
52	2015-06-06		매식(치킨, KFC, Bishop)				
53	2015-06-07	Vagabond Inn 조식	매식(햄버거, Bishop)	매식(치아바타, Denny's, Bishop)	-	3	4
54	2015-06-08	치아바타(6/7 석식 남은 것)	오트밀포리짓	라면+머핀+우유	-	-	7
55	2015-06-09	빵+우유(씨리얼)	행동식	우유+우유+북엇밥 소량	-	2	5
56	2015-06-10	잡곡밥+미소된장국	행동식	잡곡밥+고추장+김+황태국수	250	-	3
57	2015-06-11	오트밀+또띠아(땅콩+딸기)+크림치즈+우유	라면(프리토토스트, Breakfast Club, Mammoth	잡곡밥+고추장+미소된장국	1050	1	7
58	2015-06-12	또띠아+핫초코	행동식	라면잡곡밥+고추장+미소된장국	700	1	4
59	2015-06-13	오트밀+또띠아+우유(씨리얼)	마우틴하우스(스크램블에그)베이컨+비빔면	잡곡밥+고추장+미소된장국+또띠아+핫초코(씨리...	250	1	5
60	2015-06-14	오트밀+또띠아+우유(씨리얼)	오트밀포리짓	잡곡밥+미소된장국+또띠아+초코우유(씨리얼)	1350	-	6
61	2015-06-15	또띠아+우유(씨리얼)	매식(피자, zpizza, Mammoth Lake)	매식(피자, Domino's, Bishop)	-	1	5
62	2015-06-16	매식(프렌치토스트, Breakfast Club, N. Kennedy Meadows	매식(피자, 빵, 초콜릿 등)	매식(햄버거케사디아, Mammoth Lakes)	-	-	3
63	2015-06-17	컵라면+빵+우유+우유	매식(피자, zpizza, Mammoth Lake)	매식(스테이크, CJ's grill, Mammoth Lakes)	-	2	4
64	2015-06-18	매식(팬케이크+밀크쉐이크)	김치찌개+고추장+김	파스타+라면+또띠아(땅콩+딸기)+우유(씨리얼)	1255	1	5
65	2015-06-19		오트밀+고추장+김	또띠아(땅콩+딸기)+우유(씨리얼)	700	1	6
66	2015-06-20	오트밀+오예스/매식(샌드위치(Tuolumne Meado...	매식(햄버거, Tuolumne Meadow Grill)	역주 및 다과/인스턴트 우동	-	2	5
67	2015-06-21		행동식	인스턴트밥+고추장+자반김+미소된장국	700	1	6
68	2015-06-22	오트밀+또띠아+우유(씨리얼)	행동식	인스턴트밥+고추장+자반김+자반김+미소된장국	1950	1	7
69	2015-06-23	또띠아(땅콩+딸기)+초코우유	행동식	인스턴트밥+고추장+소시지볶음+자반김/또띠아	1500	-	4
70	2015-06-24	또띠아(누룽지)+우유	매식(햄버거, N. Kennedy Meadows)	매식(Rib eye steak, N. Kennedy Meadows)	1250	-	5
71	2015-06-25	매식(팬케이크, N. Kennedy Meadows)	매식(햄버거, N. Kennedy Meadows)	매식(햄버거, N. Kennedy Meadows)	-	3	7
72	2015-06-26	또띠아+고추아	행동식	오니시 빅미+고추장+자반김+미소된장국	500	2	4
73	2015-06-27	또띠아(누룽지)+우유	행동식	오니시 빅미+고추장+자반김+참치+라면스프고	1800	1	4
74	2015-06-28	오니시 빅미+밥이랑+고추장+참치	매식(초밥, Sushi Pier, South Lake Tahoe)	매식(훌텍파이, Tahoe Lake)	800	1	5
75	2015-06-29	호텔조식	행동식	매식(샌드위치, South Lake Tahoe)	-	4	5
76	2015-06-30	호텔조식	매식(샌드위치, Echo Lake Store)	오니시 조미밥+고추장+김+컵라면	200	-	5
77	2015-07-01		행동식	오니시 조미밥+고추장+고추장+김+컵라면	2000	-	4
78	2015-07-02	오니시 빅미+밥이랑+김	매식(샌드위치, Soda Springs Store)		850	-	6
79	2015-07-03	매식(샌드위치, Soda Springs Store)		매식(비빔밥+불고기+떡볶이 등, 하나식당 in Rel...	-	1	2
80	2015-07-04	가정식(빵+커피/감자볶음+스크램블에그+베이컨...	가정식(홀 핫도그+피자, Mark&Tricia's home)	가정식(Mark&Tricia's home)	-	1	2

상세 운행기록 보기 ▶ http://bitly.kr/PCTnotes**

케네디 메도우즈!! ~1130km(21km)

45일 차 : near RD0689

→ Kennedy Meadows Trail(Kennedy Meadows Store)

"히맨!!"

반갑게 내 이름을 외쳐준 기글 Giggle, 그녀를 다시 만나 반가웠다. 그녀뿐만 아니라 먼저 도착한 수많은 하이커들이 축하의 박수와 환호를 보내며 우리를 반겼다. 드디어 뜨거운 사막을 이겨내고 캘리포니아 중부의 시작, 이곳 케네디 메도우즈 Kennedy Meadows 에 도착했다. PCT를 걸으며 처음으로 무언가를 해낸 듯 커다란 성취감이 느껴졌다. 이제야 정말 온전히 PCT 하이커가 된 것 같은 느낌이었다. 좋은 사람들과 활기찬 분위기... 말은 잘 통하지 않지만 마음만은 모두가 한 가족인 듯 했다.

45일 차. 케네디 메도우즈를 눈앞에 둔 PCT 하이커들

뒤늦게 도착한 스파클과 로드워커 Road Walker 등 다른 하이커들과 함께 맥주와 음식을 나눠 먹으며 축제 같은 분위기를 즐겼다. PCT 하이커들은 이곳에서 시에라 산맥으로의 진입을 준비한다. 나 또한 보급 상자를 수령하고 곰으로부터 식량을 보호하기 위한 곰통을 구입했다. 이제부터 또 다른 새로운 환경의 PCT 가 펼쳐질 것이다.

 PCT DAY#46 20150531

각각의 개성과 생각을 존중하는 하이커들.
어제의 열렬한 환영의 박수들에 대한 여운이 남아있다. 장거리 하이킹의 매력을 조금이나마 알게 된 것 같다.
한국에서도 이런 젊은 장거리 하이킹 문화를 볼 수 있는 날이 올까??

45일 차 케네디 메도우즈.
사막을 무사히 마친 것을 자축하는 PCT 하이커들.

사막을 벗어나다~1185km(55km)

46~47일 차 : Kennedy Meadows Trail(Kennedy Meadows Store)

→ TR0736

사막이 끝난 줄 알았건만 날씨는 여전히 무더웠다. 뜨거운 태양을 피해 이틀간 이어진 야간운행 끝에 드디어 사막이 끝났다. 커다란 나무들이 서서히 모습을 드러냈다.

'이제 그늘 찾아 하염없이 걷는 일은 없겠구나.'

사막과 함께 스파클의 PCT도 끝이 났다. 하이킹 경험이 전혀 없는 여자 혼자서 이런 모험을 떠나기 쉽지 않았을 텐데 무작정 이 길에 나선 그녀의 용기가 대단하다. 매번 조금 늦기는 했으나 우리가 있는 곳으로 곧 잘 따라 와서 즐거운 휴식시간을 보낼 수 있었다. 일상으로 돌아갈 그녀와 마지막 작별인사를 하고는 걸음을 이어나갔다.

'그녀는 PCT에서 무엇을 얻었을까?'

왼쪽부터 히맨, 스파클, 스폰테니어스

내 선택에 책임져야지 ~1233km(50km)

48~49일 차 : TR0736 ➔ near WA0751

     ➔ WACSBB0767B(Whitney Spur Trail)

거의 50일 만에 처음 만나는 호수 옆 사이트에 텐트를 치고 휘트니 산 Mt. Whitney 등정 계획에 대해 이야기했다. 그곳에 오르는 건 분명 설레는 일이었으나, 가장 큰 문제는 앞으로 4~5일간 식량을 아껴 먹으며 굶주림 속에 걸어야 하는 것이었다. 단순히 보급지와 보급지 사이의 거리만을 계산하여 식량을 계획한 것이 문제가 되었다. 케네디 메도우즈에서 다음 보급지인 뮤어 트레일 랜치 Muir Trail Ranch 까지는 약 230km 였고 우리는 최소 8일치 식량을 챙겨야 했다. 하지만 무겁다는 이유로, 그리고 넉넉지 않은 곰통의 용량 때문에 식량을 과도하게 덜어낸 것이 문제가 되었다. 게다가 휘트니 산 등정에 소요되는 하루를 일정에 포함하지 않은 실수까지 더해져 식량은 더욱 부족한 상황이 되었다. 언제나 내 선택에 따르겠다는 형과 여러 대안을 따져본 결과 정면 돌파를 선택했다. 어깨가 무거워 지는 것을 느낀 나는 마음속으로 각오를 다졌다.

'만약 잘못되더라도 그건 내 선택에 따른 결과이니 내가 책임져야지!'

 PCT 캘리포니아 중부 구간

앞으로 물이 흐르는 계곡 등 많은 급수지를 만날 수 있다. 워터 리포트를 항상 살펴봐야 하겠지만, 사막 구간만큼 물에 대해 걱정할 일은 없을 것이다.

일찍 일어난 49일 차. 호수 사이트가 정말 마음에 들었다.

다음날. 휘트니 스퍼 트레일Whitney Spur Trail*로 갈라지는 이정표를 만
났다. 케네디 메도우즈에서 약 100km 떨어진 이곳에서부터 휘트니 산
정상까지의 거리는 약 13.4km. 휘트니 스퍼 트레일에 진입 후 가장 가
까운 사이트WACSBB0767B에 자리를 잡았다. 이제부터는 곰통을 텐트 바깥
에 보관해야 한다. 텐트 안에서 야식을 해 먹는 게 낙이었던 나는 마음
한편이 허전했다. 다음 날 휘트니 산에서 일출을 맞기 위해 배고픔을 참
으며 일찍 잠자리에 들었다.

* 스퍼 트레일Spur Trail : 길의 끝이 다른 길과 이어지지 않는 외길을 말한다.

휘트니 산 ~1233km(23km)

50일 차 : WACSBB0767B(Whitney Spur Trail) ➜ Mt. Whitney

  ➜ WACSBB0767B

　새벽 3시. 텐트는 그대로 둔 채 배낭을 최소화하여 휘트니 산을 향해 걷기 시작했다. 일출을 보기 위해 걸음을 재촉했지만 휘트니 산은 그리 쉽게 정상을 보여주지 않았다. 길게 이어진 지그재그 오르막 Switchback 을 오르며 50일차 기념영상을 위한 멋진 멘트를 떠올려봤다. 생각해보면 지금 이렇게 길을 걷고 있는 것은 많은 분들의 도움이 있었기에 가능한 일이었다. 진심으로 감사한 마음을 전하고 싶었다. 무엇보다 이 길을 걷겠다는 나를 믿어 주신 부모님의 모습이 가장 먼저 머리를 스치며 울컥했다.

　6시 40분이 돼서야 드디어 휘트니 산 정상에 올랐다. 아쉽게도 해는 이미 떠올랐지만 설산 아래로 작게 보이는 호수와 주변 풍경은 매우 아름다웠다. 공식적인 첫 영상 메시지를 위해 카메라를 켰다. 하지만 오르며 생각해둔 대사는 촬영 시작과 함께 까맣게 잊어버렸다. 뒤이어 올라온 형과 함께 기념촬영을 한 후 원래 길로 되돌아 내려갔다. 그렇게 다시 원래 사이트 WACSBB0767B 로 돌아오며 50일 차 운행을 마무리 했다.

"
여태까지 포기하고 돌아간 적은 한 번도 없잖아.
멋진 모습으로 돌아갈 수 있도록 할게!

20150604 PCT 50일 차 휘트니산 정상
부모님께 보내는 영상 메시지 中

휘트니 구간 갈림길 이정표.
정면으로 가면 휘트니 산 정상, 오른쪽은 휘트니 포탈로 향하는 길이다.

 휘트니 구간 추가 퍼밋

휘트니 산과 휘트니 포털_{Whitney Portal}은 PCT의 동쪽으로 약 13.7km 그리고 약 26.7km의 거리에 각각 위치하고 있다. 또한 보급지인 론 파인_{Lone Pine} 마을은 휘트니 포털에서 동쪽으로 20.1km 거리에 위치하며, 포장된 도로를 통해 차량이동이 가능하다는 이점이 있다. 2015년까지는 PCT 퍼밋만으로는 휘트니 포털로의 운행이 불가능 했다. 그러나 2016년 휘트니 포털까지의 운행이 가능한 특별 추가 퍼밋_{Special add-on long-distance permit}이 새롭게 생겼다. 추가 발급비용이 들지만, 해당 구간에서의 보급이 쉽지는 않기 때문에 한번쯤 고려해 볼만 한 퍼밋이다. 자세한 내용은 〈1.1. PCT 퍼밋〉 항목 참조.

크래커 6개로 넘은 포레스터 패스 ~1262km(29km)

51일 차 : WACSBB0767B(Whitney Spur Trail) ➡ WACSBB0784B

얼마 남지 않은 땅콩버터 통을 들고 숟가락으로 퍼먹었다. 땅콩버터 두 숟가락에 우유 파우더와 핫초코가 이날 아침식사의 전부였다. 내가 참 불쌍하게 느껴졌다.

행동식도 아껴야 했다. PCT에서 가장 높은 포레스터 패스Forester Pass, 4009m를 넘어야 하는 오늘 운행은 작은 땅콩 크래커가 6개 든 한 봉지로 버티기로 했다. 속상했다. 60~90분 간격으로 조그만 크래커를 하나씩 먹으며 악기로 걸었다. 조금만 더 가면 크래커 하나를 먹을 수 있다는 생각에 오히려 더 멈추지 않고 걸었다. 크래커 하나를 입에 넣고 최대한 오래 입속에 잡아두려 입을 오물거리며 걸었다. 길에 쌓인 눈에 자연스레 발은 점점 젖어갔다. 하지만 이미 한두 번 겪은 일이 아니기에 개의치 않고 걸어 나갔다.

'그게 문제가 아니라 배고파 죽겠다고!'

이제 남은 크래커는 단 하나.

'이건 다 걷고 나서 먹어야지!!'

의외로 나쁘지 않은 컨디션으로 빠르게 걸어 사이트에 도착한 나는 안도의 한숨을 내쉬며 마지막 남은 크래커 하나를 입에 넣었다.

마지막 크래커 하나

51일차, PCT에서 가장 높은 지점인 4009m의 포레스터 패스에 올랐다.

    사이트에는 이미 많은 하이커들이 자리 잡고 있었다. 우리가 자리 잡은 이후에도 조금씩 몰려들더니 하나의 큰 텐트촌이 형성되었다. 저녁 식사까지 아직 시간이 많았지만 배가 너무 고팠다. 결국 텐트 안에서 라면스프를 탄 국물에 밥을 말아 먹고 누웠다가 잠이 들었다. 얼마나 시간이 지났을까, 잠에서 깨어 나와 보니 사이트 한가운데 마른 나무들이 잔뜩 쌓여 있었다. 형을 비롯한 주변의 하이커들이 모닥불을 피울 준비를 하고 있었다. 가득 쌓인 장작을 보며 가장 먼저 든 생각.

    '파티인가?? 먹을 것 좀 나오려나?'

    10명 가까이 되는 하이커들이 모닥불 앞에 둘러앉았다. 뒤늦게 도착한 하이커들도 얼어붙은 몸을 녹이려 하나 둘 다가왔다. 형은 이미 다른 하이커들에게 식량이 없어 굶주리고 있는 우리 상황을 이야기 한 듯 했다. 몇몇 하이커들이 자신들의 남은 식량을 하나 둘씩 꺼내기 시작했다. 분명 이들에게도 소중한 식량이라는 것을 알았기에 더욱 고마웠다. 나는 신나서 바로 하나씩 시식하기 시작했다.

모닥불 맞은편에 앉은 하이커의 피리 연주 소리가 흘러 퍼졌다. 또 다른 하이커는 그림 수첩을 들고 다니며 그린 그림들을 보여준다. GG 아주머니는 손가락 끝에 구멍이 난 장갑을 낀 손을 장난스럽게 흔들어 보였다. 스마트폰 터치 기능이 있어 좋다는 유쾌한 그녀의 농담에 모두 폭소를 터뜨렸다.

오늘을 마지막으로 시에라Sierra 구간을 더는 진행하지 않고 건너뛰겠다는 하이커도 있었다. 이미 사막구간을 마친 후 다른 구간으로 건너뛴 하이커들도 있다는 얘기도 들었다.

이 길을 걷는 방법은 모두 다르다. 이 길에서 느끼는 것 또한 다르다. 같은 길을 걷는다 해서 그 길 위의 사람도 같을 필요는 없다. 같은 것이라면 아마도 그 길 위에 서있는 '유일한 자신'을 마주하는 일이 아닐까.

"
이 길에 똑같은 사람은 없다.

자신의 소중한 악기 그리고 반려견과 함께 길을 걷기도 한다.
길을 걷는 데 정답은 없다.

탈출 그리고⋯ ~1269km(20km)

52일 차 : WACSBB0784B

→ Onion Valley(through Bullflog Lake Trail to Bishop)

불 프로그 레이크 트레일Bullflog Lake Trail을 통해 키어사지 패스
Kearsarge Pass, 3594m를 넘어 어니언 밸리Onion Valley로 이동하기로 했다.
어니언 밸리의 주차장에서 차를 타고 비숍Bishop으로 탈출할 계획이었다.
PCT를 벗어나 13km 가까이 걸어야 하는 길이었지만 떨어진 식량을 보
충하려면 다른 방법이 없었다. 거리가 길기는 하지만 어렵지 않게 탈출

할 수 있을 거라 생각했다. 하지만 패스 하나를 넘는 일은 결코 만만하지 않았다. 지그재그로 끊임없이 이어진 오르막에 며칠간 제대로 먹지 못한 나는 금세 지쳤다. 걷지 않아도 되는 길을 걷고 있다는 생각에 더욱 무기력했다.

'왜 PCT도 아닌 길을 이렇게 힘들게 걷고 있지?'

힘겹게 주차장까지 간다 해도 히치하이킹이 쉽게 될지 걱정이었다. 머릿속을 떠나지 않는 걱정들과 함께 오르막을 오르던 중 한국인 어르신을 만났다. 정반대로 걷고 계셨음에도 몸 상태가 좋지 않다며 개인 산행일정을 변경하시고는 감사하게도 우리를 비숍까지 태워다 주시기로 하셨다. 덕분에 지체 없이 무사히 비숍에 도착할 수 있었다. 정확히는 비숍 KFC 맞은편에 내렸다.

멋진 사진도 찍어주셨는데, 연락처 교환을 잊어 아쉽게도 받을 길이 없었다.

망설임 없이 KFC에 달려 들어간 우리는 정신없이 치킨을 뜯었다. 정말 오랜만의 풍족한 식사였다. 근처 마트에서 그동안 먹고 싶었던 것들을 잔뜩 사들고 숙소로 향하는 내 얼굴에는 만족스러운 미소가 번졌다.

하지만 행복은 오래가지 않았다. 밤새 토하고 또 토했다. 아이스크림을 급하게 한 통 다 먹어 버린 탓인지 아니면 오랜만에 마신 와인이 문제였는지... 며칠간 제대로 먹지 못한 빈속에 급하게 많은 음식들을 먹어댄 탓에 속병이 난 듯 했다. 결국 잔뜩 사다 놓은 음식들을 하나도 못 먹지 못한 채 소중한 휴일을 침대 위에서 보내야 했다.

53일 차. 항상 희종이 형이 남긴 것까지 처리(?)하던 내가 처음으로 음식을 남겼다.

나 홀로 힘없이 떨다 ~1353km(96km)

54~57일 차 : Onion Valley(from Bishop) ➜ WACS0821 ➜
WACS0841

여전히 편치 않은 속으로 다시 키어사지 패스를 넘어 PCT에 복귀한 후 글렌 패스Glen Pass, 3641m를 넘어갔다. 희미해진 헤드램프 불빛에 의지해 늦은 시간까지 야간 운행을 했다. 여러 번 길을 잘 못 들어 헤매고 엉덩방아를 찌어가며 겨우겨우 밤 10시를 넘겨 도착했다. 녹초가 되어버린 나는 다음날 PCT 첫 설사와 함께 고비를 맞이했다. 도무지 힘을 낼 수 없는 무기력함이 찾아왔다. 결국 목표 사이트까지 가지 못 한 채 핀쇼 패스Pinchot Pass, 3701m만을 겨우 넘어 급히 운행을 마쳤다. 비속에서 손을 덜덜 떨며 텐트를 서둘러 쳤다. 운행 초반 나를 앞서 간 형은 이런 상황을 알 리 없었다. 약속한 사이트에서 하염없이 기다리고 있을 형과 언제 다시 만나게 될지 확신할 수 없었다. 그렇게 형과 헤어진 이후 하루하루 온 몸에 힘이 풀린 채 기어가듯 하나씩 패스를 넘어갔다. 마더 패스Mather Pass를 넘은 날에는 고소증세가 왔는지 자면서 달리기를 하듯 숨을 헐떡이기도 했다.

뮤어 패스Muir Pass, 3644m로 향하는 길은 잘 보이지 않았다. 가뜩이나 체력도 달리는데 허벅지까지 빠지는 눈 속에서 헤매고 또 헤맸다. 해지기 직전에야 겨우겨우 뮤어 패스에 위치한 대피소Stone hut에 도착했다. 갈 길이 멀어 급히 지나쳐 가려다가 사진이라도 찍고 가자는 생각에 문을 열었다. 때마침 잠자리를 준비하고 있던 두 커플을 만났다.

'여기서 자기도 하는 구나'

따뜻한 내부의 온기가 느껴졌다. 젊은 커플은 한쪽 구석의 빈자리를 가리키며 쉬어가기를 권했다.

'아~ 여기서 그냥 잘까??'

매트를 펴고 눕고 싶은 마음이 굴뚝같았다. 하지만 여기서 멈추면 헤어진 형을 만나기 더 힘들어질 것이 뻔했다. 결국 친구를 만나야 한다고 인사하고는 대피소를 나왔다. 곧바로 이어진 힘한 내리막길은 5분도 되지 않아 대피소에서 나온 것을 후회하게 했다.

57일 차. 돌로 지어진 뮤어 패스 대피소에 도착했다.

'다시 들어갈까??'

'에이 모르겠다.' 돌이키기엔 이미 너무 많이 내려왔다. 해는 저물어가고 손은 시렸다. 제일 먼저 나오는 사이트에서 멈추기로 하고 속도를 내어 걸었다. 정신없이 걷는 와중에 고개를 들어보니 저 멀리 노을이 눈에 들어왔다. 붉은 해가 넘어가며 몽환적인 분위기의 길이 펼쳐졌다. 걸음을 멈추고 카메라 셔터를 누를 만큼 노을은 눈부시도록 아름다웠다.

PCT에서의 57번 째 해가 저물어 간다.

나 홀로 산장~1383km(32km)

58일 차 : WACS0841 ➜ near WACS0858B(Muir Ranch Trail)

　1383.24km 지점인 플로렌스 레이크 트레일 갈림길Florence Lake TR2 Trail Junction 을 지나 뮤어 트레일 랜치로 이동했다. 보급지인 그곳에서 형을 만날 수 있을 거라는 생각만으로 힘을 다해 걸었다. 하지만 뮤어 트레일 랜치에서는 'Closed for season'이라는 안내판 외에는 아무것도 볼 수 없었다. 이정표에 붙어 있는 많은 하이커들의 메시지 중에 형의 메시지가 있지 않을까 찾아보았지만 그건 괜한 기대였다. 비숍에서 돌아온 이후로 여전히 형을 만나지 못 하고 있다.

　'이렇게 헤어지는 건가?'

문이 닫혀있었지만 꼭 확인해야 할 것이 있었다. 이곳을 지나는 때에 뮤어 트레일 랜치가 운영되지 않는다는 것을 전혀 알지 못한 채 보급 상자를 이곳으로 보냈다. 무엇보다 REI 에서 급하게 주문한 GPS 시계를 이곳에서 받기로 했다. 불안한 마음으로 닫힌 문틈으로 몸을 구겨 넣은 나는 다행히 얼마 남지 않은 산장의 오픈을 준비하는 마가렛 아주머니를 만날 수 있었다. 친절한 아주머니는 상자가 있는지 확인해주겠다며 근처에 괜찮은 사이트를 알려주셨다. 바로 옆으로 세찬 강물이 흐르는 멋진 곳에서 안심하고 휴식을 취했다.

운영 기간이 아니었던 뮤어 트레일 랜치. 예상대로 닫혀있었다.

"찾아봤는데 네 상자는 없어"

다음날 다시 찾은 뮤어 트레일 랜치에서 아주머니는 내 이름으로 된 상자는 없다는 슬픈 소식을 내게 전했다. 꽤 먼 거리에 있는 마을의 우체국에 있을 거란다. 식량이 부족한 건 둘째 치고 큰 마음먹고 주문한 비싼 GPS 시계의 행방을 알 수 없다는 사실에 망연자실했다. 거의 포기 상태로 아주머니가 준 작년 하이커들의 보급품 버킷의 식량을 먹으며 무기력하게 텅 빈 산장에 홀로 앉아있었다. 천진난만한 그곳의 개들이 나를 위로하려는 듯 꼬리를 흔들며 다가왔다. 내 상황을 알리가 없는 그 아이들과 놀아주며 다시 정신을 차렸다.

'별다른 방법이 없으니 일단 다음 마을에서 알아보자'

배낭을 메고 떠나기 전 아주머니에게 작별인사를 하려다 창고 담당하는 아저씨를 만났다. 이곳에서 결국 내 상자를 못 찾고 돌아간다고 했더니 역시 그건 멀리 떨어진 우체국에 있을 거란다.

"그럼 이건 어때요?"

혹시나 하는 마음에 지푸라기라도 잡는 심정으로 REI 주문 상자의 배송 추적 문서를 보여줬다.

"이건 창고에 있을 거야. 내가 가져왔어!"

창고로 들어간 아저씨는 1분도 안되어 내 상자를 가지고 나왔다! 홀로 힘든 상황에서 새 시계를 받은 나는 마치 새 신을 신은 듯 날아갈 것 같은 기분이었다. 이제라도 끊기지 않고 캐나다까지 GPS 기록을 남길 수 있겠다는 생각에 신이 났다.

이것저것 잘 챙겨주신 뮤어 트레일 랜치의 마가렛 아주머니.
왼팔에 새로 산 GPS시계 상자를 꼭 안고 있는 히맨.

다시 만나다 ~1435km(45km)

60일 차 : near WACS0864 ➜ CS0892B

　형을 다시 만나려면 어떻게든 더 많이 걷는 방법밖에는 없었다. 최장 거리 운행을 결심하고 새벽 일찍 걷기 시작했다. 느리지만 꾸준히 걸어나가며 셀든 패스 Selden Pass, 3325m 와 실버 패스 Silver Pass, 3334m 를 넘었다. 운행 중 마주친 하이커들이 형을 만났다고 했다. 2시간 전쯤 만났다고 했으니 나와의 거리차이는 4시간 정도. 오늘도 만나기는 힘들겠지만 조금만 더 따라가면 만날 수 있겠다는 생각에 조금은 안심이 되었다. 그리고 다음 날. 오늘은 꼭 만나겠다는 생각으로 일찍 길을 나선 나는 걸은 지 3km 만에 이제 막 일어나 텐트에서 나온 형과 마주쳤다. 헤어진 지

일주일만의 만남이었다. 우리는 함께 다음 보급지인 레드 메도우 Reds Meadow 로 향했다. 바로 버스를 타고 맘모스 레이크 Mammoth Lakes 로 이동한 우리는 이틀간 정말 푹 쉬었다.

요세미티~1514km(0km)

66일 차 : Tuolumne CG → Yosemite Valley Trail → Tuolumne CG

투올러미 캠핑장 Tuolumne CG 에서 만난 한국 분들 덕분에 맛있는 저녁을 얻어먹고 즐거운 시간을 보낸 다음날. 셔틀버스를 타고 옴스테드 포인트 12 : Olmstead point 로 이동 후 하프 돔 Half dome 으로 향했다. 하지만 길을 잘 못 들어 하프 돔은 멀리서 바라보는 것으로 만족해야 했다. 다시 돌아온 캠핑장에서 이전에 리틀 지미 캠핑장에서 함께 고기파티를 했던 하이커 팅크 Tink 의 부모님을 우연히 만났다. 맥주와 과일 등을 대접하며 트레일 엔젤을 자처한 그들과 함께 즐거운 저녁 시간을 보낸 우리는 오리건에서 다시 만날 것을 기약하며 헤어졌다.

제발 살려줘!!~1613km(32km)

69일 차 : WACS0982 → WA1002

걸음을 멈출 수 없었다. 멈추는 순간 순식간에 수십 아니 백 마리는 족히 되는 모기들이 나를 포위했다. 도저히 쉴 수가 없었다. 수시로 춤을 추듯 온 몸을 흔들어가며 걷는 것 외에는 다른 수가 없었다. 결국은 모기들에게 애원하듯 간절함을 담아 살려 달라고 소리쳤다. 사막구간에서 머리에 쓰는 모기장을 한 달 넘게 들고만 다니다 짐만 되는 것 같아 한국으로 보내버린 것을 후회해봐야 소용없었다. 그래도 모기들 덕분이었을까? 오랜만에 해가 저물기 전에 사이트에 도착해 기분이 좋았다. 몸이 조금씩 회복되고 있었다.

내 뒤에는
태극기와 내 피와 땀의 빨간 명찰이 있다는 사실을 잊지 말자~
내 이름 석 자를 걸고 하는 도전이다.
항상 부끄럽지 않도록 최선을 다하자!!

- 20150623 PCT 69일 차 다이어리 中 -

다시 살아나다 ~1637km(23km)

70일 차 : WA1002 ➜ Hwy108(to Northern Kennedy Meadows)

드디어 속병에서 완벽하게 벗어났다. 펄펄 넘치는 기운으로 긴 오르막을 힘차게 걸어 나갔다. 힘든 시간을 이겨낸 성취감에 주먹을 불끈 쥐었다. 소노라 패스Sonora Pass, Hwy108에서 히치하이킹하여 북부 케네디 메도우즈Northern Kennedy Meadows로 이동했다. 형의 컨디션 이상으로 예정에 없던 예비일을 가지며 그동안의 기록을 정리하는 시간을 가졌다.

속병에서 해방되어 다시 살아난 PCT 70일 차.
신난 표정으로 힘차게 소노라 패스로 향하는 길.

언제나 조급했다 ~1856km(101km)

76~78일 차 : Hwy50(to South Lake Tahoe) ➡ WACS1102

➡ WACS1127 ➡ RD1153(to Soda Springs)

사우스 레이크 타호South Lake Tahoe에서 이틀간 푹 쉬고 복귀했다. 다시 걷기 시작한 후 약 2.5km 만에 만난 에코 레이크 리조트Echo Lake Resort에서 보급을 받았다. 이후 에코 레이크 바로 옆으로 이어진 길을 걸으며 아름다운 호수를 즐길 수 있었다. 근처로 많은 사이트들이 있는데 마치 평화로운 휴양지 같은 느낌이었다. 호수 옆으로 난 평탄한 길을 계속해서 걸어 나갔다. 잠시 호수를 바라보며 여유를 가지고 싶은 생각을 억누르며 걸어 나갔다. 오늘 걸어야 하는 길이 있었기에... 그러다 도저히 그냥 지나칠 수 없는 알로하 호수 Aloha Lake, WACS1098 를 만났다. 수영을 하며 긴 휴식을 가졌다. 떠나기 싫을 정도로 평화로운 시간이었다.

이후 이틀 간 딕스 패스 Dicks Pass 를 넘고 그래니트 치프 야생보호구역 Granite Chief Wilderness 를 지나 소다 스프링스 Soda Springs 로 향하는 도너 패스 Donner Pass 근처 도로 RD1153, Hwy40 에 진입했다.

소다 스프링스에서 지체없이 보급을 받고 시에라 시티에서 쉬는 것이 원래 계획이었다. 애플리케이션에 나온 우체국 영업시간만을 믿고 새벽 5시에 형보다 먼저 출발해 달리듯 42km를 걸어 히치하이킹까지 하여 힘겹게 영업종료 2분전에 우체국에 도착했다. 하지만 직원은 이미 30분 전에 영업이 끝났음을 알려주었다. 참 허무했다. 어쩔 수 없이 내일을 기약하며 도로 근처에 텐트를 쳤다.

많은 하이커들이 PCT에서 많은 것들을 내버린다고들 한다.
하지만 나는 버린 것이 없다.
오히려 이 PCT를 경험하며 내 신념들은 더욱 확고해졌다.
무언가를 버린다기보다 많은 것들을 얻어간다.
여기서 얻은 것들을 많은 사람들과 공유하고 나누고 싶다.

- 20150701 PCT 77일 차 다이어리 中 -

78일 차. 도너 패스에서 만난 일본인 PCT 하이커 고스트.
그는 미국비자를 3개월만 받아 시에라 시티에서 PCT를 마무리한다고 했다.

79일 차 아침. 눈을 떠 나와 보니 다들 앉아 쉬던 자리에 그대로 누워 늦잠을 자고 있었다.

냉동피자의 마법 ~1856km(0km)

79일 차 : RD1153 ➜ Truckee

　다시 찾은 소다 스프링스 우체국에서 보급을 받고 불필요한 짐들을 한국으로 보냈다. 출발 전 가게에서 점심으로 샌드위치를 사먹고 냉동피자도 하나 구매했다. 피자를 데우려 전자레인지 문을 열었다.

　"그건 전자레인지에 돌리면 안돼!"

　피자를 집어넣으려는 순간 직원의 제지를 받았다. 우리가 산 피자는 오븐용이라 전자레인지 조리가 안 된단다. 그럼 환불해 달라 했더니 환불도 안 된단다. 뜯지도 않은 피자인데...

　'들고 갈 수도 없고 버리자니 아깝고... 아~ 피곤하다. 일단 좀 쉬자'

　먹지 못하는 피자와 함께 가게 앞 벤치에 멍하니 앉아 있었다.

　"그 피자 트레일에서 먹으려고 하는 거야?"

　가게를 찾은 한 아주머니가 내게 말을 걸어 왔다. 어떻게 가져가고 어떻게 해 먹을 건지 궁금했나 보다. 아니면 내 꼴이 참 불쌍해 보였거나... 상황을 설명하면서 속으로 아주머니가 원한다면 피자를 줘야겠다고 생각했다. 이야기를 들은 그녀는 안 됐다는 반응을 하더니 이내 남편과 함께 집으로 돌아가는 듯 했다. 얼마나 지났을까, 주차장에서 다시 돌아온 그들은 여전히 멍하니 앉아있던 우리 앞에 다시 섰다.

　"너희만 괜찮으면 우리 집에 와도 돼. 오븐이 있으니 그 피자도 해 먹을 수 있어."

　트레일 매직이었다. 그들의 반가운 제안에 솔깃했으나 운행에 차질이 있을까 망설여졌다. 고맙게도 그들은 다른 볼일을 보는 동안 우리에게 생각할 시간을 주었다. 나는 미국 독립기념일인 다음날은 쉬기로 했던 기존 일정에 큰 영향이 없다고 결론 내렸다. 그렇게 트러키 Truckee 에 있는 그들의 집으로 향했다.

부부는 우리에게 각자 머물 공간을 내 주었다. 저녁이 되자 굳이 한식이 아니어도 된다는 우리의 얘기에도 40km 나 떨어진 한식당을 찾아 함께 식사를 했다. 한식과 한국에 대해 이야기하며 즐거운 시간을 보냈다. 떡볶이를 마음에 들어 하는 아내 트리샤 Tricia 를 보면서, '여자들은 국적을 불문하고 떡볶이를 좋아하는구나.' 하는 생각이 들기도 했다.

다음 날에는 미국 독립기념일 퍼레이드를 함께 봤다. 일상에서 흔히 볼 수 있는 국가와 국민을 위해 수고하는 사람들에게 환호하고 격려하는 모습을 보며 참 멋진 문화라는 생각이 들었다. 퍼레이드 중반 이후 내린 벼락을 동반한 폭우 속에서도 꿋꿋이 행진을 이어나가는 모습이 인상적이었다. 식당 파라솔 아래에서 비를 피하며 퍼레이드를 끝까지 지켜본, 마치 영화 같았던 기억은 잊지 못할 추억이 되었다.

집에 돌아와 테라스에서 독립기념일 불꽃놀이를 기다리며 근사한 저녁과 와인을 함께했다. 아쉽게도 불꽃놀이는 취소되어 보지 못했지만 그럼에도 완벽한 하루였다.

잠자리로 돌아가 즐거웠던 오늘을 곱씹던 내게 트리샤가 물 한 잔을 가져다 놓으며 잘 자라고 어깨를 톡톡 두드려 주며 인사를 했다. 마치 엄마 같았던 그녀의 보살핌에 마음이 따뜻해지는 걸 느낄 수 있었다. 그만큼 헤어짐의 아쉬움은 그 어느 때보다 컸다. 이 길에서 수많은 만남이 있었던 만큼 헤어짐도 많았다. 어느 순간부터 헤어짐을 미리 생각하고 준비했던 것도 같다. 틈날 때마다 헤어짐이 아쉽다는 영어 표현을 검색했지만 아쉬움이라는 영어 단어가 따로 없다는 것만 알 수 있었다.

I will miss you

(그리울 거예요)

헤어지던 날 아침. 나는 그리울 거라는 말로 헤어짐의 아쉬움을 표현했다. 마크&트리샤 부부는 따뜻한 미소와 포옹으로 답해주었다. 그들의 또 다른 가족, 귀여운 강아지 윌슨에게도 마지막 인사를 건넸다. 트러키에서의 행복했던 이틀은 그들의 따뜻한 정을 느낄 수 있는 시간이었다.

'나라면 길에서 우연히 만난 외국인 여행자에게 과연 이런 호의를 베풀 수 있을까?'

80일 차 마크&트리샤 부부의 집 테라스에서의 저녁 식사.
와인과 함께 식사를 하며 독립기념일 불꽃놀이를 기다렸으나 아쉽게도 보지 못했다.

또 다른 만남을 기대하며 다시 길 위에 섰다.

20150705 PCT 81일 차 08시 42분. 마크&트리샤 부부와 헤어지기 전.
브이를 들어 보인 내가 재미 있어 보였는지 나를 따라 브이를 들어 보인 트리샤.
(지금에야 아쉬움보다는 그리움이었다는 것을 깨닫는다. 따뜻했던 그들이 그립다.)

PCT 캘리포니아 중부 보급지&랜드마크

보급 9 : 케네디 메도우즈
(Kennedy Meadows, 1130.1+0.8)

영화 〈와일드〉에도 등장했던 케네디 메도우즈에 도달한 것은 사막 구간의 끝을 의미한다. 1000km 가 넘는 사막 구간을 이겨내고 이곳을 찾은 PCT 하이커들은 햄버거와 맥주를 마시며 서로를 축하하고 함께 휴식을 즐기며 앞으로의 길을 준비한다. 상점에서 보급 상자 수령 및 발송이 가능하며, 캠핑장 주변으로 간이 샤워부스 등의 편의 시설이 있다. 이곳이 곰통 구매가 가능한 마지막 장소라고 할 수 있다. 곰통은 결코 저렴하지 않으나 앞으로 요세미티 국립공원 구간까지 필수로 지고 다녀야 하므로, 미리 준비 하지 못 했다면 이곳에서 꼭 구입하기 바란다.

 : c/o Kennedy Meadows General Store 96740 Beach Meadow Road Inyokern, CA 93527

- 케네디 메도우즈 소개 페이지**
- 곰통이 필요한 상세구간**

last check : 2017/4/14

케네디 메도우즈 스토어

📍 휘트니 산 (Mt. Whitney, 1233.3+13.4)

높이 4421m로 알래스카 주를 제외한 미국 48개 주에서 가장 높은 휘트니 산은, PCT를 벗어나야 오를 수 있는 랜드마크이다. PCT에서 가장 높은 지점은 4009m의 포레스터 패스이지만, 사실상 가장 높은 지점은 휘트니 산이라고 봐도 무방할 정도로 많은 PCT 하이커들이 휘트니 산의 정상에 오른다. 그만큼 압도적인 풍경을 볼 수 있는 곳이다.

■ 휘트니 산 오르는 방법

(1) PCT 1233.3km 지점 WACSBB0766 에서 PCT를 벗어나 휘트니 스퍼 트레일 Whitney Spur Trail 로 진입. 휘트니 산 정상까지의 거리는 약 13.4km이다.

(2) PCT 1234.4km 지점 JMT0767 에서 PCT를 벗어나 록 크릭 트레일 갈림길 Rock Creek Trail juction 까지 1.31km 이동한다. 이곳에서 휘트니 스퍼 트레일로 진입하여 같은 방법으로 걷는다. 정상까지 거리는 12.8km.

휘트니 스퍼 트레일의 경우 휘트니 산 정상이 길의 끝이다. 때문에 휘트니 포탈로 넘어가는 것이 아니라면 다시 왔던 길을 돌아와야 한다. 이 동거리가 짧지 않기 때문에 휘트니 산 등정에 하루를 써야할 것이다. 전날 미리 사이트를 잡고 가벼운 복장으로 등정에 나설 것을 권한다.

휘트니 산 정상의 대피소

비숍 (Bishop, 1269.9+67.6)

시에라 산맥을 배경으로 대형 마트들과 많은 식당, 장비점, 약국 등이 위치하고 있어 보급에 용이한 큰 마을이다. 극장에서는 최신 영화도 즐길 수 있다.

론 파인이나 인디펜던스에서 버스를 타고 비숍에 갈 수 있다. 버스는 평일에만 운영된다.

주소 : c/o General Delivery Bishop, CA 93514

* 비숍 홈페이지**

last check : 2018/6/18

시에라 산맥을 배경으로 나란히 위치한 비숍의 대형마트

보급(실패) : 뮤어 트레일 랜치
(Muir Trail Ranch, 1380.3+2.4)

히맨이 보급에 실패한 유일한 장소다. 편의시설이 비교적 잘 갖춰진 이곳은 지친 몸을 재충전하기에 안성맞춤이지만 이곳으로 보급 상자를 발송하는 것은 권하지 않는다. 이곳에 들를 계획이라면 가장 먼저 운영 기간을 확인할 것. 그렇지 않을 경우 문이 닫힌 입구 앞에서 당황할 수도 있다. 보급품을 말에 싣고 직접 산장까지 운반하기 때문에 버킷에 보급품을 담아야 하는 등의 절차가 있으며, 무엇보다도 보급품 수령 시 무려 70달러 이상의 수수료를 내야 한다.(상세 내용은 링크 참조)

주소 : c/o Muir Trail Ranch P.O. Box 176 Lakeshore, CA 93634

- 뮤어트레일 랜치 보급 절차***

last check : 2017/4/14

버밀리언 밸리 리조트_{VVR}
(Vermilion Valley Resort, 1407.4+9.7)

작은 연락선_{ferry}으로도 이동이 가능한 이곳은 작은 가게와 식당이 있고, 샤워와 빨래 등이 가능하다. 가격은 대체적으로 비싸다고 한다. 이곳으로 보급 상자를 발송할 경우 꼭 우체국_{USPS}이 아닌 UPS나 Fedex를 이용할 것. 수령 시 수수료를 지불해야하며 무게 제한도 있다.(상세 내용은 링크 참조)

북쪽으로 향하는 대부분의 PCT 하이커들의 경우 시기 상 뮤어 트레일 랜치에서의 보급이 힘들다. 이는 존 뮤어 트레일_{JMT} 하이커들의 하이킹 시즌에 맞춰 운영하는 뮤어 트레일 랜치가 운영을 시작하기 전에 대부분 해당 구간에 도달하기 때문이다. 때문에 많은 PCT 하이커들이 VVR에서 보급 및 휴식의 시간을 가진다. 하지만 보급 상자를 뮤어 트레일 랜치로 보냈던 히맨은 문이 닫힌 것을 알면서도 뮤어 트레일 랜치로 향할 수밖에 없었고, 아쉽게도 VVR에 들르지 못 했다.

 – UPS or Fedex :
　　Vermilion Valley Resort™ c/o Rancheria Garage 62311
　　Huntington Lake Road Lakeshore, CA 93634

● <u>VVR 보급 안내 페이지</u>**

last check : 2017/4/14

 ## 보급 10 : 레드 메도우 스토어
(Red's Meadow Store, 1459.0+0.5)

뮤어 트레일 랜치와 마찬가지로 보급품 발송에 필요한 절차가 있으며 40달러의 수수료도 있다. 상점 맞은편의 식당은 매우 비싼데 비해 맛이 그리 좋은 편은 아니다. 때문에 휴식 없이 이동할 계획이 아니라면 이곳보다는 맘모스 레이크Mammoth Lakes의 우체국을 이용할 것을 추천한다.

 : c/o Red's Meadow Resort P.O. Box 395
　　　Mammoth Lakes, CA 9354613

- 레드 메도우 홈페이지[**]
- 레드메도우 스토어 보급 절차[**]

────────────────────────────────── last check : 2018/1/21

레드 메도우로 향하는 길

📍 맘모스 레이크 (Mammoth Lakes, 1459.0+25.7)

　큰 마을인 맘모스 레이크에 가려면 레드 메도우 상점 앞에서 셔틀버스를 타고 스키장으로 이동하여 다시 버스를 갈아타야 한다.(셔틀버스 왕복 요금은 7달러이며 상세 정보는 아래 링크 참조)

　숙소와 식당 모두 대부분 저렴한 편은 아니지만 레드 메도우에서 머무는 것과 비용 면에서 큰 차이가 없다. 그럼에도 도서관과 장비점을 비롯한 편의 시설과 식당들이 있어 재충전하기에 안성맞춤이다. 마을이 매우 크므로 도서관 등 주요 시설 근처로 이동하여 숙소를 잡는 것이 좋다. Z피자$_{zpizza}$의 경우 적당한 가격에 썩 괜찮은 피자를 먹을 수 있다.

주소 : c/o General Delivery Mammoth Lakes, CA 93546

- 맘모스 레이크 홈페이지**
- 셔틀버스 상세 요금 정보**
- Z피자$_{zpizza}$ **

last check : 2017/12/29

맘모스 마운틴 스키장. 이 맘모스 상 앞에서 맘모스 레이크로 가는 버스를 탈 수 있다.

투올러미 메도우즈 (Tuolumne Meadows, 1516.8+0.5)

요세미티 국립공원Yosemite NP에 위치한 투올러미 메도우즈는 수많은 관광객들로 붐비는 곳이다. 이곳에는 커다란 캠핑장이 있으며 근처의 간이 우체국에서는 많은 하이커들이 보급을 받는다. 그 옆으로 기념품 가게와 작은 장비점이 위치하고 있으며, 특히 작은 햄버거 가게 앞은 항상 사람들의 발길이 끊이지 않는다.

PCT를 벗어나 34.86km의 요세미티 밸리 트레일Yosemite Valley Trail을 통해 버날 폭포Vernal Fall를 볼 수 있으며, 우뚝 솟은 하프돔Half Dome에도 오를 수 있다. 요세미티 국립공원 내에서 투올러미 메도우즈 캠핑장 외의 캠핑장에서 캠핑을 하려면 별도의 퍼밋이 필요하다.(PCT 퍼밋만으로 캠핑 불가능) 따라서 국립공원 내를 도는 무료 셔틀버스를 타고 주요 트레일로 이동하여 요세미티를 둘러보는 것도 좋다.

 : c/o General Delivery Tuolumne Meadows Post Office
Yosemite National Park, CA 95389

• 요세미티 국립공원 JMT/PCT 안내 페이지**

――――――――――――――――――――――――――――――― last check : 2017/4/14

옴스테드 포인트(12 : Olmstead point)에서 바라본 요세미티. 멀리 하프돔이 보인다.

보급 11 : 북부 케네디 메도우즈
(Northern Kennedy Meadows, 1636.5+16.3)

소노라 패스_{Sonora Pass, Hwy108}에서 히치하이킹으로 이동할 수 있으며, 가게 주변으로 유료 캐빈들을 이용할 수 있다. 무료로 이용할 수 있는 사이트도 있으나 상점과는 거리가 좀 있는 편이다. 보급은 우체국_{USPS}이 아닌, UPS_{United Parcel Service, 물류 배송회사}를 통해 보내진 것만 받을 수 있다.(일반적으로 우체국에 비해 배송료가 비싸다. 가게에서의 구매가 나을 수 있다.) 이를 모르고 우체국을 이용했던 히맨은 몇 번의 재확인 끝에 겨우 받을 수 있었다. 또한 보급 수령 시 기본 10달러의 수수료를 내야 하니 참고할 것. 많은 카우보이들을 볼 수 있으며 운이 좋다면 수십 아니 수백 마리 소들의 퍼레이드를 볼 수 있다. 음식은 맛있으나 비싼 편. 가게의 소프트아이스크림은 셀프서비스로 되어 있어 원하는 만큼 높이 쌓아 먹을 수 있다.

주소 : Kennedy Meadows Resort & Pack Station Sonora, CA 95370
Please hold for 'Your Name' 57 miles East of Sonora on Hwy 108

• 북부 케네디 메도우즈 PCT 하이커 안내 페이지[**]

———————————————————— last check : 2017/4/14

북부 케네디 메도우즈 스토어

사우스 레이크 타호 (South Lake Tahoe, 1755.5+19.3)

커다란 타호 호수 옆에 위치한 큰 마을이다. 각종 호텔, 레스토랑, 쇼핑몰 등이 있는 이곳은 많은 관광객들로 붐빈다. 재충전의 시간을 가지기에는 더없이 좋은 마을이다. 컴퓨터 수리 전문점을 포함한 다양한 시설들이 있어 길을 걷다 생긴 문제들을 처리하기에도 부족함이 없다.

이곳의 베이스캠프 호텔Basecamp Hotel은 개인적으로 PCT 기간 중 가장 좋은 숙소 중 하나였다. 하라스 레이크 호텔Harrah's Lake Tahoe에는 비교적 저렴한 포레스트 뷔페Forest Buffet 식당이 있다. 마을 내에서 이동 가능한 버스는 무료로 운영하는 기간이 있으니 미리 기간을 알아두면 좋다. 주요 시설 위치를 고려하여 숙소를 잡을 것.

주소 : c/o General Delivery South Lake Tahoe, CA 96150

- 사우스 레이크 타호 홈페이지**
- 베이스캠프 호텔 홈페이지**
- 하라스 레이크 타호 호텔의 포레스트 뷔페**

―――― last check : 2017/4/14

 **레이크 오브 더 스카이 장비점
(Lake of the Sky Outfitters, 1755.5+19.3)**

레이크 오브 더 스카이 장비점은 2017년부터 영업을 하지 않는다.

사우스 레이크 타호에 위치한 장비점인 이곳에서는 보급상자를 받아주며, 하이커 박스를 통해 부족한 식량 및 장비를 보충할 수 있었다. 또한 PCT 하이커에게 15%의 할인을 제공했다. 매장에 위치한 방명록에 기록을 남기면 하이커들의 독사진을 찍어 페이스북과 매장의 벽면을 채우곤 했다.

- 레이크 오브 더 스카이 장비점 페이스북 페이지(폐업)**
- ~~레이크 오브 더 스카이 장비점 홈페이지(17/3/9 폐쇄)~~

―――― last check : 2017/10/24

Spontaneous

06/29/2015

Thermometer

06/15/2015

He-Man

06/29/2015

20170629 PCT 75일 차.
레이크 오브 더 스카이 장비점에서…

보급 12 : 에코 레이크 리조트
(Echo Lake Resort, 1756.4+0.0)

에코 레이크 리조트의 간이 우체국은 2016년부터 PCT 하이커들의
보급 상자를 받지 않는다.2017/2/6(상세 내용 링크 참조)

PCT에서 바로 만날 수 있는 에코 레이크 리조트는 여름에만 운영하
는 작은 리조트이다. 이곳에서부터 PCT를 따라 하단 및 상단 부Lower
Echo Lake & Upper Echo Lake로 이뤄진 아름다운 호수를 바라보며 걸을 수
있다.

상점에서 웬만한 식량 보급이 가능하지만 보급 상자를 보낼 계획이라
면, 에코레이크 2.5km 이전의 도로Hwy50를 통해 사우스 레이크 타호로
이동하여 보급 받을 것을 권한다.

- 에코레이크 우체국 보급 불가(Halfmile PCT Resupply Note 20180131)[**]
- 에코레이크 우체국 보급 불가(Halfmile PCT 2016년 업데이트 中)[**]

────────────────────────last check : 2018/3/7

에코 레이크

보급 13 : 소다 스프링스 (Soda Springs, 1856.2+4.8)

소다 스프링스는 마을 보다 작은 커뮤니티이다. 도너패스_{Donner Pass}를 따라 도로변에 위치한 우체국과 작은 가게가 전부라고 볼 수 있다. 잠시 쉬어가는 것이 아닌 예비일을 가질 계획이라면 트러키_{Truckee} 등 주변의 다른 마을로 보급 상자를 보내는 것이 좋다. 혹은 시에라 시티_{Sierra City} 까지 운행을 이어가는 것도 좋다.

도너 서밋 로드_{Donner Summit Road}를 따라 트레일 주변에 형성된 암벽에 는 수많은 클라이머들로 북적인다. 이곳에서는 다양한 난이도로 이루어 진 총 275개의 등반 루트들을 볼 수 있다.

주소 : Soda Springs, CA 95728

- 소다 스프링스 제너럴 스토어 홈페이지**
- 클라이밍 루트 참고링크**

last check : 2017/4/14

3. 캘리포니아 북부

PCT 6.CA

3. PCT 캘리포니아 북부

■ PCT Northern California

구 간 : 그래니트 치프 야생보호구역(north of the Granite Chief Wilderness, 1835.13km) ~ 오리건/캘리포니아 주계(Oregon/California Border, 2718.45km)

소요기간 : 26일(예비일 3일)

보 급 : 4회

PCT에서 가장 긴 캘리포니아 주의 마지막 구간이다. 캘리포니아 북부 구간은 PCT 중간 지점PCT mid point을 지나 캘리포니아와 오리건의 경계까지 이어진다. 중간 지점 이후 뜨겁고 건조한 햇 크릭 림Hat Creek Rim을 지나며, 샤스타 산Mt. Shasta, 4322m의 멋진 스카이라인도 볼 수 있다. 버니 폭포Burney Falls와 칠흑 같이 어두운 동굴의 서늘함을 느낄 수 있는 서브웨이 케이브Subway Cave등 소소한 즐거움을 주는 랜드마크들도 많다.

그러나 많은 하이커들이 PCT에서 가장 매력적이지 않은 구간으로 캘리포니아 북부 구간을 꼽는다.* 변화무쌍한 뜨거운 사막과 추운 시에라 구간을 걸으며 올라온 하이커들이기에 이전보다 지루한 느낌을 받을 수도 있다. 하지만 히맨에게 캘리포니아 북부 구간은 PCT의 절반을 해내는 성취감과 고요한 숲의 매력을 느끼며 새로운 환경에 적응할 시간을 주는 휴식의 구간이었다.

---

* Halfwayanywhere**의 PCT 하이커 설문 (2017년**/2016년**)

히맨의 캘리포니아 북부
훑어보기(영상) : http://bitly.kr/3ncaW**

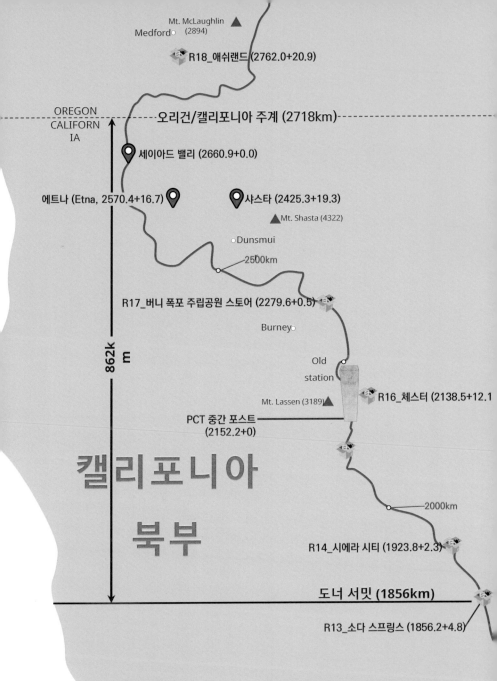

Mt. McLaughlin ▲
Medford○ (2894)

R18_애쉬랜드 (2762.0+20.9)

OREGON
CALIFORN
IA
오리건/캘리포니아 주계 (2718km)

세이아드 밸리 (2660.9+0.0)

에트나 (Etna, 2570.4+16.7)   샤스타 (2425.3+19.3)

▲ Mt. Shasta (4322)

○ Dunsmui

2500km

R17_버니 폭포 주립공원 스토어 (2279.6+0.5)

Burney○

Old
station

862k m

Mt. Lassen (3189) ▲   R16_체스터 (2138.5+12.1

PCT 중간 포스트
(2152.2+0)

캘리포니아

북부

2000km

R14_시에라 시티 (1923.8+2.3)

도너 서밋 (1856km)

R13_소다 스프링스 (1856.2+4.8)

캘리포니아

중부

Sacramento○

Day	Date	Location(from)	Location(to)	운행거리	PCT km	대인킬	기상	Start	End	휴식횟수	코스 및 운행특이사항
81	2015-07-05	RD1153(from Truck	WACS1172	30.36	1886.55		6:07	9:59	18:30	1	Castle Pass(2417)
82	2015-07-06	WACS1172	Hwy49(to Sierra Ci	39.53	1923.83	2.25	6:19	6:37	15:40	2	-
83	2015-07-07	Hwy49(from Sierra	near WA1214B	29.2	1953.03			13:58	20:26	0	운행 중반 이후 터 우중 산행. 33km 지점 Alder Spring에서 급수하여 4km 떨어진 사이트에
84	2015-07-08	near WA1214B	CS1237	37.64	1990.67		6:15	7:57	15:58	3	-
85	2015-07-09	CS1237	CS1268	49.67	2040.34		5:40	7:00	18:33	3	-
86	2015-07-10	CS1268	Hwy70(Belden, to L	26.75	2067.09		5:43	7:40	13:30	1	-
87	2015-07-11	Hwy70(from Little H	TR1303(WACS130	29.8	2096.89		5:40	14:10	21:30	4	-
88	2015-07-12	TR1303(WACS130	Hwy36(to Chester)	41.64	2138.53		5:14	6:42	17:02	5	PCT midpoint(2125.39km)
89	2015-07-13	Chester	Chester	0	2138.53	-	7:33	-	-	-	-
90	2015-07-14	Hwy36(from Chest	WACS1350	34.74	2173.22	3.02	7:45	11:03	19:40	3	트레일 엔젤(Piper's mom)의 차량지원으로 어림지 앞게 on PCT. 옷 29km 운행지점에서 Bo
91	2015-07-15	WACS1350	HatCreekView	45.15	2216.95	1.42	5:01	6:27	20:00	3	운행 중반 고도 500m를 올리 이후 경사없이 계속되는 우간은 지루한 운행 옷 33km운행지점
92	2015-07-16	HatCreekView	CS1406	45.61	2262.56		5:45	6:59	17:59	6	43~44km부근에서 인회종 더앤과 만나지 못 하고 엇갈리며 해프닝.
93	2015-07-17	CS1406	WACS1422	25.87	2288.43		5:30	6:42	17:40	2	옷 6~7km 지점, PCT angel이 마련한 쉼터(매우 좋음:음식,음료 및 물,샤워,충전,조리대,
94	2015-07-18	WACS1422	CS1448	41.14	2329.57		5:40	7:00	18:40	2	-
95	2015-07-19	CS1448	CS1476	45.16	2374.73		5:40	7:00	19:51	4	13km 지점에서 급수
96	2015-07-20	CS1476	Hwy5(to Dunsmuir	37.19	2411.92		5:00	6:17	14:57	3	-
97	2015-07-21	Shasta	Shasta(Alpine Lod	0	2411.92		7:03	-	-		에비일
98	2015-07-22	Shasta	Shasta(Cold Creek	0	2411.92		8:02	-	-		에비일
99	2015-07-23	Hwy5	near WA1519	33.19	2445.11		8:23	11:10	20:26	-	
100	2015-07-24	near WA1519	CS1549	48.37	2493.48		5:42	7:01	18:49	3	-
101	2015-07-25	CS1549	near Trinity Alps W	45.23	2538.71		5:36	7:01	19:45		-
102	2015-07-26	near Trinity Alps W	RD1597(to Etna)	31.81	2570.52		5:00	6:01	14:30		하치하이킹을통해 Etna의 Trial Angel place인 'Hiker's hut'으로 이동 후 뒤뜰에서 캠핑.
103	2015-07-27	RD1597(from Etna)	WACS1621	38.52	2609.04		6:30	8:30	19:02		-
104	2015-07-28	WACS1621	Seiad Valley	51.9	2660.94		4:45	6:04	16:57		운행 후반 도로운행 옷 10km.
105	2015-07-29	Seiad Valley	WA1675	35.29	2696.23		6:23	9:07	19:53		-
106	2015-07-30	WA1675	WA1701	41.86	2738.09		5:45	7:01	18:56		13:05 California/Oregon border(California구간 종료)

Day	Date	조식	중식	석식	Water(ml)	대변	소변
81	2015-07-05	매식(트리니티 오믈렛 with Mark)	행동식+피자한조각	어니시 볶이+고추장+라면	600	1	7
82	2015-07-06		행동식	매식(햄버거, Sierra City Store)	1100	2	6
83	2015-07-07	매식(프렌치토스트와틀, Red Moose Sierra Cit	매식(햄버거(King of the Buttes, The Hungry Hik	어니시 볶이+고추참치+라면+미소된장국	400	2	4
84	2015-07-08	또띠아(영콩+딸기)+우유(씨리얼)+오에스3+카피	행동식	어니시 볶이+카레+고추참치	500	-	6
85	2015-07-09	또띠아(영콩+딸기)+우유(씨리얼)	행동식	어니시 죠이(콩+카레+고추참치/재료그램암파이+	700	1	5
86	2015-07-10	재료그램암파이+밥이랑+고추장	매식(햄버거,	볶음라면(은희풍)	300	-	6
87	2015-07-11	라면+우유(little haven)	행동식	재료그램암파이+밥이랑+라면+김	900	1	6
88	2015-07-12	또띠아(영콩+딸기)+우유(씨리얼)	행동식	매식(햄버거, Pine Shack Frosty, Chester)	950	2	7
89	2015-07-13	호텔조식	매식(햄버거, Pine Shack Frosty, Chester)	매식(타코 등, Chester)	-	3	7
90	2015-07-14	호텔조식	행동식	재료그램암파이+밥이랑+고추장+또띠아(누텔라	800	2	5
91	2015-07-15	또띠아(누텔라)+우유(씨리얼)	매식(피자, Old station)	재료그램암파이+밥이랑+고추장+고추장+라면	1100	-	3
92	2015-07-16	칩스+우유+우유(씨리얼)+바나나	행동식	오트밀+우유(씨리얼)+라면	2000	-	6
93	2015-07-17	오트밀+카피우유(씨리얼)	매식(샌드위치, Burney Falls State Park Store)	어니시 볶이+소세지김치찌개+고추장+김		1	4
94	2015-07-18	마운틴하우스	라면	재료그램암파이+밥이랑+고추장+김	1600	-	5
95	2015-07-19	프로틴파우(200)	비빔면+초코우유(씨리얼)	누룽지+연어야끼	700	-	5
96	2015-07-20	누룽지+김	행동식	매식(립스테이크, Black Bear Dinner, Shasta)	400	1	4
97	2015-07-21	매식(베이커리, Mount Shasta Pastry, Shasta)	매식(햄버거, Treehouse, Shasta)	매식(KFC, Shasta)	-	2	6
98	2015-07-22	매식(샌드위치, Shasta)	우유(오트밀+씨리얼)	매식(국수, Shasta)	-	3	7
99	2015-07-23	매식(파니니, Shasta)	행동식	어식+볶음밥+라면+우유(씨리얼)	950	-	7
100	2015-07-24	또띠아+우유(씨리얼)	행동식	재료그램암파이+미소된장국+우유(씨리얼)	1200	-	5
101	2015-07-25	또띠아(누텔라)+우유(씨리얼)	행동식	누룽지+참치+라면	1000	-	5
102	2015-07-26		매식(햄버거, Etna)	컵라면+요플레	1200	3	7
103	2015-07-27	또띠아(참치샐러드)+우유	오트밀+초코우유+과자	라면+매쉬포테이토+참치	1000	-	4
104	2015-07-28		행동식	재료그램암파이+밥이랑+수프+라면	950	-	
105	2015-07-29	매식(토스트샌드위치+밀크쉐이크, Sejad Valley)	행동식	재료그램암파이+미소된장국+수프+라면	2000	1	6
106	2015-07-30	프로틴(350)	행동식	재료그램암파이+미소된장국+매쉬포테이토		-	5

상세 운행기록 보기 ▶ http://bitly.kr/PCTnotes**

평화로움 혹은 지루함의 시작~1887km(30km)

81일 차 : RD1153(from Truckee) ➜ WACS1172

우리를 PCT로 데려다 준 마크 아저씨와 30분 정도 함께 길을 걸었다. 귀여운 강아지 윌슨도 함께였다. 트레일 주변으로 많은 암벽 등반지를 볼 수 있었는데, 클라이밍 시즌이 맞물려 수많은 클라이머들로 북적였다. 마크 아저씨와 작별인사를 나눈 후 계속해서 운행을 이어갔다.

캐슬 패스Castle Pass 이후의 트레일은 고요한 숲 속으로 이어졌다. 사람을 볼 수 없던 것은 물론 새소리, 물소리조차 들리지 않는 몽환적인 분위기가 길에서 느껴졌다.

81일 차 운행 중. 마크 아저씨와 함께 걸었다.

81일 차 운행 중 고요한 숲길

시에라 시티~1924km(40km)

82일 차 : WACS1172 ➜ Hwy49(to Sierra City)

시에라 시티 Sierra City 에 도착한 우리는 교회 옆의 잔디 뜰에 자리를
잡았다. 작은 마을은 마치 미국 서부영화에서나 볼 법한 매력적인 분위
기를 풍겼다. 이곳에선 예비일 없이 잠시 휴식 후 다음날 바로 운행을
이어갈 예정이었다. 트러키에서 휴식을 가진지 얼마 지나지 않아 또다시
이렇게 여유를 가지게 되니 좋으면서도 불안했다. 가게에서 엄청난 크기
의 햄버거를 먹고서 와이파이가 잡히는 가게 앞 벤치에서 긴 시간 떠나

지 않고 여유를 즐겼다. 그곳에서 네덜란드에서 온 PCT 하이커 모닝스타와 쿠키몬스터 Morning Star & Cookie Monster 커플과 함께 늦은 시간까지 맥주를 함께 마시며 즐거운 대화를 나누었다. 한국에서는 상상하기 힘든 무려 6~7개월의 휴가를 내고 PCT에 왔다는 커플의 이야기를 들으며 참 부럽다는 생각이 들었다. 모닝스타는 아이폰과 고프로를 이용하여 자신들의 운행 모습과 장거리 트레일에 대한 가이드 영상 등 재미있는 영상들을 많이 찍고 있었다.

 장거리 하이킹 정보

모닝스타&쿠키몬스터의 'Friendly Hiker' **에서 그들의 이야기 및 장거리 하이킹을 위한 정보를 확인할 수 있다.

「 '히맨의 일상'

손목에서 울리는 시계의 진동에 눈을 뜨자마자 운행기록 엑셀에 기상시간을 입력하며 일어난다. 곧바로 또띠아를 펼쳐 절반은 딸기잼, 나머지 절반에는 피넛버터를 바른다. 코펠과 스푼을 찾아 시리얼과 우유파우더를 붓는다. 마지막으로 코펠에 물을 붓고 휘 젓는다. 흡입한다.

걷는다.

텐트를 친다.

먹는다.

잔다.
⌟

📓 PCT DAY#82 20150706

1. 트레일은 이제 집과 같고 이곳에서의 일은 일상이 되어버린 듯하다. 어느새 트레일 매직을 통한 일탈에서 더욱 많은 새로운 것을 보고 느끼고 있다. 변화는 더는 없었고 마치 집에서의 일상 같다. 이제 볼 건 다 본 것 같다는 느낌도 강하게 든다.

하지만 아직 나는 끝까지 가보지 않았다. 끝까지 가보지 않고서는 스스로 어떤 것을 보고 또 느끼게 될지 모르는 일이다.

"
내가 지루하다고 해서 길이 나를 위해 변화하지 않는다.
길은 항상 그 자리 그 모습 그대로다.

결국 내 마음에 달린 일이다.

2. 매일 같은 사이트에서 자고 일어나 같은 길을 걷는데도 서로가 보고 느끼는 것은 정말 많이 다르다. 모든 PCT 하이커들이 각기 다른 경험과 생각을 가진다고 확신한다. 다른 배경 다른 경험을 가진 사람들이 같은 목표와 가치를 추구한다는 것은 더더욱 어렵지 않을까?

세상에 같은 사람은 없다. 결국 자신만의 경험으로 자신 만의 길을 걸어야 한다. 생각하는 머리도 앞으로 걸어 나갈 다리도 내게 있다. 그럼에도 결코 쉽지 않은 일이지만 덕분에 재미있다.

피식 웃음이 났다.

지루함을 잊기 위한 한 방법이 아니었을까?

- 20150710 PCT 86일 차 운행 중 -

　벨든 Belden 우체국이 없어진 사실을 모르고 우체국으로 보급품을 보낸 나는 고민에 빠졌다. 근처에 있다는 트레일 엔젤에게 도움을 요청해 보기로 했다. 그 트레일 엔젤에게 간다는 베어 리 Bear Lee 와 함께 리틀 헤이븐 Little Haven 이라는 PCT 하이커 호스팅 장소로 향했다. 차에서 내리자마자 나도 모르게 많은 상자들이 쌓인 창가에 눈길이 갔다.

　"엇 저거 내 상자예요!"

　창 안으로 내 글씨가 적힌 상자가 보였다! 마치 상자가 나를 기다리고 있었다는 듯 마법처럼 보급 상자를 찾았다. 자연스럽게 이곳의 빈 침대에 자리를 잡았다. 화장실 주방 등을 무료로 이용할 수 있었다. 어제 내가 계획과 다른 길로 빠지는 바람에 만나지 못한 형이 이곳으로 오기를 바랐다. 시원하게 샤워 후 근처 가게에서 햄버거를 먹고 돌아와 보니 다행히도 형이 도착해있었다. 그렇게 다시 모든 것이 제자리로 돌아왔다.

86일 차 벨든의 리틀 헤이븐. 왼쪽 침대가 히맨의 자리.

걸어 온 길 그리고 걸어갈 길~2139km(42km)

88일 차 : TR1303(WACS1303) ➜ Hwy36(to Chester)

드디어 PCT의 절반을 달성하게 되는 날이다. PCT 최남단인 캄포에서 출발한 후 2125.39km를 걸어왔다는 뜻이기도 하다. PCT 중간 지점 PCT mid point 을 지나 가장 먼저 만날 수 있는 마을인 체스터 Chester. 이곳에서 PCT 절반 통과를 기념하며 예비일을 가질 생각에 들뜬 마음으로 걸었다. 하지만 PCT는 절반을 쉽게 내주지 않았다. 변화 없이 지루하며 경사가 심한 길, 그리고 길을 가로막고 있는 나무들은 나를 지치게 만들었다. 하지만 앞으로의 환경에 조금 더 잘 적응하기 위한 예방주사라고 생각하며 걸어 나갔다. 앞으로 당분간은 이런 변화 없는 환경이 펼쳐질 테니...

"축하해요~!"

길에서 만난 하이커들이 PCT 중간 지점에 도달한 것을 축하하는 인사를 건네기 시작한다. 무언가 대단한 것이 있지 않을까 하는 기대감으로 힘겹게 중간 지점에 도착했다. 하지만 중간 지점임을 알리는 돌로 된 포스트와 방명록 박스 외에는 아무 것도 볼 수 없어 조금은 아쉬웠다. 걸어온 길과 걸어갈 길의 거리가 같은 이곳에서 우리는 서로의 기념사진을 찍었다.

20150712 88일 차 13시 15분 PCT 중간 지점
(PCT mid point)

길 위의 천사들~2173km(35km)

90일 차 : Hwy36(from Chester) ➜ WACS1350

체스터에서 평화로운 휴식을 가진 다음 날. 이틀 전 우리를 마을로 데려다 주기도 했던 트레일 엔젤 파이퍼스 맘 Piper's mom 에게 다시 차량지원을 부탁했다. 호텔 체크아웃 시간에 맞춰 우리를 데리러 나와 준 그녀 덕분에 힘겹게 히치하이킹을 할 필요 없이 정말 편안하게 길에 돌아올 수 있었다. 트레일 엔젤들은 대단하다. 아무런 대가없이 차량 픽업을 해주고 밥을 주고 잠자리를 내주기도 하는 '봉사'를 한다는 것은 결코 쉬운 일이 아니다. 엔젤이라 불리는 데는 그만한 이유가 있다.

'고마워요 길 위의 천사들!'

운행 중 약 3km 길이의 대안 길인 보일링 스프링 Boiling Spring Alternate 에 들어섰다. 이 대안 길의 마지막에서 증기와 함께 끓어오르며 흐르는 회색 빛 물을 볼 수 있었다. 따뜻한 온탕을 기대했던 나는 살짝 아쉬웠으나 처음 보는 펄펄 끓는 물이 신기해 카메라를 꺼내 들었다.

지루함을 잊게 하는 것들~2217km(45km)

91일 차 : WACS1350 ➜ Hat Creek View

운행 초반 고도 500m를 올린 이후 평평해진 길과 여전히 변화 없는 환경에 또 다시 지루함이 찾아왔다. 그 지루함을 이기려 더욱 속도를 냈다. 약 33km를 걸어 올드 스테이션Old Station에서 점심을 먹고 매트리스에 누워 여유롭게 낮잠을 즐겼다. 평소보다 긴 3시간의 꿀 같은 휴식에

다. 다시 출발할 시간이 다가왔음에도 움직이기 싫었다. 예정보다 늦은 시간에 겨우 일어나 걷기 시작했고 다행히 나른했던 몸은 다시 빠르게 움직이기 시작했다. 운행 후반 PCT를 벗어나 서브웨이 케이브 트레일 Subway Cave Trail로 진입하여 어두컴컴한 동굴을 발견했다. 박쥐 등이 서식 한다는 안내를 본 후 그야말로 한 치 앞도 보이지 않는 동굴 속으로 걸 어 들어갔다. 얼마나 오싹한 지 더운 날씨 속에서 오늘 내내 흘린 땀이 한 순간에 얼어붙었다.

오늘의 목적지인 햇 크릭 뷰 Hat Creek View 는 정식 사이트는 아니지 만 아름다운 스카이라인을 볼 수 있는 멋진 전망대였다. 안내판을 통해 2009년에 번개로 햇 크릭 밸리 Hat Creek Valley 에 화재가 발생하며 PCT 가 끊겼던 사실도 알 수 있었다. 바로 옆 주차장에서 만난, 캠핑카를 끌고 여행 중인 한 아저씨에게서 받은 맥주와 간식을 먹으며 아름다운 노을을 즐겼다.

91일 차 햇 크릭 뷰. 비박을 하려했으나 모기가 너무 많아 결국은 텐트를 쳐야했다.

우리 다시 사막으로 돌아온 건가요?? ~2263km(46km)

92일 차 : Hat Creek View ➜ CS1406

　정말 뜨거웠다. 뜨겁고 건조한데다 화재로 인해 그늘을 찾을 수 없는 길은 마치 다시 사막에 돌아온 듯 했다. 태양을 피하기 위해 약 47km 를 내달렸지만 태양은 여전히 나를 뜨겁게 내려다보고 있었다. 머릿속에는 음료수 생각만으로 가득했지만, 힘겹게 도착한 급수지의 수많은 물통들은 텅텅 비어있었다. 운행이 끝날 때쯤에야 길옆의 한 파이프가 눈에 들어왔다. 파이프의 작은 구멍에서는 물이 펑펑 솟아나고 있었다. 입을 벌린 채 물줄기에 얼굴을 들이밀었다.

　'아 살 것 같다.'

　겨우 정신을 차리고 다시 걷기 시작하자마자 길에 놓인 쪽지를 발견했다. 트레일 매직이 있다는 이미 유효기간(?)이 지난 쪽지 때문에 한참을 헤매다 결국 지쳐버렸다. 이미 44km 넘게 걸은 상태였다. 몸 상태에 따라 조금 더 걸어 마을까지 갈 생각도 했지만 이미 더위에 지칠 대로 지쳐버린 나였다. 결국 강가에 매트리스를 깔고 '나도 모르겠다.'며 드러누워 버렸다. 30분쯤 지났을까 내 뒤에서 걸었던 형을 만나 추가 운행을 의논하고 싶었으나 형은 나타나지 않았다. 트레일 매직을 찾아 헤매던 중에 엇갈린 듯 했다.

　해는 저물어 가고 다음 물이 있는 사이트까지는 거리가 꽤 있었다. 거품이 낀 강물을 마시고 싶지 않았지만 더는 움직일 힘이 없어 결국은 그 강물을 받아 가까운 사이트로 이동했다. 가장 먼저 자리를 잡은 내 텐트 주위로 더위에 지친 다른 하이커들이 하나 둘 자리 잡기 시작했다. 뜨거웠던 해는 서서히 저물어 갔다.

92일 차 정말 뜨거웠던 트레일.
물을 기대하며 도착한 급수지의 물통들은 텅텅 비어있었다.

책임질 수 있을 만큼만 지고 간다~2288km(26km)

93일 차 : CS1406 ➜ WACS1422

출발한지 얼마 되지 않아 PCT 길 위의 초호화 핫플레이스가 나타났다! 길 양 옆으로 만들어진 쉼터에는 하이커 박스는 물론이고 음식, 음료 및 물, 샤워장, 조리대... 그리고 전자장비 충전까지 가능했다. 그중하이라이트는 트레일 엔젤의 정성이 느껴지는 간식 선반이었다. 선반 문을 열자 나타난 잔뜩 쌓여있는 다양한 통조림 음식들에 두 눈이 휘둥그레졌다. 전부 하나씩 먹어보고 싶은 마음이었지만 나는 그저 바라만 볼수밖에 없었다. 욕심을 부려 잔뜩 음식을 챙겼다가 고생하는 일을 되풀이하고 싶지 않았기에...

문득 이 길의 초반 심심치 않게 만났던 텅텅 빈 아이스박스가 떠올랐다. 언제나 트레일 매직을 만나면 음료수를 하나라도 더 챙기려던 내 모습도 떠올랐다. 아마 이 선반이 PCT 초반에 있었다면 금세 텅텅 비어아무것도 없었을 거다. 이 선반이 가득 차있는 걸 보니 지금까지 긴 길을 걸어오며 어느새 전문가가 된 하이커들은 이미 알고 있는 것 같았다.

"
자기 선택에 책임질 수 있을 만큼만 지고 간다.

책임이 무거워져 더는 버틸 수 없을 때 주저앉게 된다. 더는 일어나지못 하고 그 자리에 눕게 되는 것. 그게 안주가 아닐까?

93일 째에 만난 어마어마한 양의 통조림 선반

떠나기 싫은 그곳을 뒤로하고 보급 상자 수령을 위해 대안길인 버니폭포 주립공원Burney Falls State Park alternate 으로 향했다. 시원하게 떨어지는 폭포를 보기 위해 이곳을 찾은 많은 관광객들로 가득했다. 공원의 거대한 규모에 놀라며 앞으로 만나게 될 크레이터 레이크 국립공원Crater Lake NP 의 모습을 상상했다. 가게에서 미리 보내놓은 보급 상자를 받았다. 어마어마하게 많은 식량들을 어떻게 처리할 지 걱정하다가 가게 앞에 하이커 박스를 만들기로 했다. 주변 하이커들에게 나누고 남은 식량들을 다시 상자에 넣었다. 태극기가 붙은 하이커 박스는 아마 최초이지 않을까.

많은 하이커들이 가게 앞에서 점심을 먹고 보급 받은 식량을 정리했다. 그 때 한 하이커Cuban B가 주변 하이커들에게 PCT 출발 때의 사진을 보여준다. PCT를 걸으며 살이 빠진 자신의 모습을 자랑하고 있었다. 다른 하이커들도 하나 둘 자신의 사진을 자랑스러운 듯 꺼내보였다. 다들 출발 때 모습과 달리 부쩍 날씬해졌다. PCT만 한 다이어트 프로그램이 또 있을까?

내게 소중한 것은 상대에게도 소중하다~2330km(41km)

94일 차 : WACS1422 → CS1448

　물을 제때 구하지 못했다. 두 번째 실수. 확실하지 않은 선택으로 후회할 결과를 만들었다. 급수지로 빠지는 갈림길 사이트에서 만난 하이커들에게 물이 어디 있는지 물었다. 길 위에 있다는 얘기에 물통만 들고 길로 돌아가 보았지만 아무것도 볼 수 없었다. 결국 600m 뒤에 있는 진짜 마지막 급수지로 향했다. 설마하면서도 크게 걱정을 하지는 않았는데, 결국 문제가 생겼다. 최후의 보루였던 마지막 급수지의 물은 모두 말라있었다. 당황스러움에 다시 돌아갈까 생각도 했지만 내 다리는 멈출 생각이 없는 듯했다. 그렇게 물을 받지 못 했고 수낭에 남은 물을 계산하기 시작했다.

　'낮에 900ml 급수했고, 많이 마시진 않았으니 700ml 쯤 남아 있겠지?? 밥하는데 130ml, 단백질 파우더 먹는데 400ml 정도??'

　운행을 마치자마자 배낭을 내리고 수낭부터 꺼냈다. 남은 물의 양은 500ml가 안 됐다. 큰 고민에 부딪혔다.

　'형한테 물을 달라고 할까 말까'

　밥을 하는데 물을 거의 다 쓰고도 형에게 물을 달라고 하지 않고 버텼다. 저녁을 먹고 여유롭게 마시려 사놓은 칵테일 캔이 떠올랐다.

　'술로 수분 보충을 해야 한다니!'

　처음 물이 없었을 때도 나는 잘 버텼다. 이 길에 나서기 전 서로 약속했듯 위급상황이 아니라면 형에게 물과 식량을 달라고 할 생각이 없다. 내게 소중한 거라면 그에게도 소중한 물과 식량이기에 그걸 함부로 달라할 수는 없었다.

'참자 히맨!! 넌 할 수 있어!! 내일 8km만 가면 물이 있어!!'

'한 시간 반만 가면 돼~ 가서 시원하게 프로틴단백질 파우더 한 잔 하자고!!'

그러면서도,

'처음에 그냥 확실히 급수지를 물어봤더라면...'

후회를 한다. 하지만 이미 늦었다. 참 바보 같다. 고쳐야 할 버릇이다.

95일 차 운행 중. 힘들다.

99일 차 운행 중. 트리니티 알프스 야생보호구역으로 진입한다.

모두 행복한 순간이었다~2493km(48km)

100일 차 : Trinity Alps Wild2 → RD1597(to Etna)

에트나 Etna 의 하이커스 헛 Hiker's hut. PCT 하이커 호스팅 장소인 이곳의 뒤뜰에 텐트를 쳤다. 그렇게 PCT 100 일 차 운행을 무사히 마쳤다. 그리고 우리는 아직 살아 있다. 지금까지 별 탈 없이. 그리고 잘 따라와 준 형에게 정말 고마웠다.

'이 정도면 이제 전문가 아닌가?

이 정도면 PCT 하이커라 불릴 만하지 않은가?!!'

'고생했습니다. 끝까지 무탈하게, 조금만 더 고생합시다!'

이 길에 있는 100일 동안 정말 치열하게 나 자신과 마주하며 목표에만 집중해왔다. 내 이름을 걸고 한 점 부끄러움 없이 정말 최선을 다했다고 자신한다. 지금까지 걸으며 단 한 순간의 후회도 없었다는 건 정말 자랑할 만한 일 같았다. 그리고 행복했다. PCT 길 위에서의 100일 모두 행복한 순간이었다. 속병으로 힘들었던 순간, 아픈 발목으로 신음하며 겨우 겨우 내디뎌 걸었던 순간조차 행복했다. 그 고생을 하러 이곳에 온 거니까. 그걸 극복해내고 더욱 강해지고 더욱 잘 해내고 있는 걸 직접 느끼고 있으니까. 똑같이 형한테도 묻고 싶었다. 여기 온 걸 후회한 적 없었느냐고. 지금 행복하냐고.

비박 중 잠에서 깬 35일 차 새벽. 별들로 가득한 밤하늘 아래에서 문득 떠올랐던 물음.

'내가 왜 이 고생을 사서하고 있지??'

이제야 그 물음에 대한 답을 찾은 것 같다.

캘리포니아의 마지막 ~2661km(52km)

104일 차 : WACS1621 ➜ Seiad Valley

세이아드 밸리 Seiad Valley 까지 52km를 걸어야 하는 롱데이 long day 였다. 양옆으로 높게 서있는 나무들 사이로 고요한 숲길이 길게 펼쳐졌다. 급경사의 내리막이 많았고 도로를 만나기 전까지 계곡을 따라 걸었다. 2주 넘게 계속된 평균 40km 넘는 운행에 이어 이 날도 거의 달리 듯 걸었다. 세이아드 밸리로 향하는 마지막 뜨거운 10km의 도로구간에서는 더는 힘을 낼 수 없었다. 잠시 쉬어갈까 할 때쯤 999마일 1608km 기념 표식이 나타났다. 캐나다까지 이제 999마일 남았단다. 덕분에 마지막 힘을 낼 수 있었다. 길고 길었던 캘리포니아 구간도 내일이면 끝난다.

이제 정말 얼마 남지 않은 것 같다.

내가 좋아하는 일을 하면서
이렇게 많은 사람들의 응원을 받는 건 처음인 것 같아.
나처럼 행복한 사람이 또 있을까?

- 20150718 PCT 94일 차 다이어리 中 -

20150717 PCT 93일 차 운행 중 만난 버니 폭포.
사진 찍고 있는 양희종.

PCT 캘리포니아 북부 보급지&랜드마크

 ## 보급 14 : 시에라 시티 (Sierra City, 1923.8+2.3)

시에라 시티는 영화 속에 나올 법한 작은 커뮤니티이다. 트레일을 벗어나 도로를 통해 2.4km 이동하면 만날 수 있다. 상점 뒤편에 위치한 교회 옆 잔디 뜰에서 야영이 가능하다.(일요일 제외)

시에라 시티에는 우체국이 있으나 운영시간이 매우 짧다. 따라서 우체국 바로 옆의 상점Sierra Country Store으로 보급 상자를 보낼 것을 추천한다. 비교적 큰 규모의 상점은 매일 늦은 시간까지 운영되며, 무선인터넷도 가능하다. 음식도 판매하는데 특히 거대한 것버스터Gutbuster 햄버거는 부족한 열량을 충전하기에 안성맞춤이다. 상점 홈페이지의 라이브 웹캠을 통해 마을의 분위기를 미리 볼 수 있다.

엄청난 양을 자랑하는 배고픈 하이커를 위한 메뉴The Hungry Hiker Menu를 먹을 수 있는 레드 무스 카페Red Moose CAFE도 추천한다.

- Sierra City PO :
  c/o General Delivery Sierra City, CA 96125
- Sierra Country Store :
  c/o Sierra Country Store 213 Main Street Sierra City, CA 96125

• 시에라 시티 스토어 홈페이지**

last check : 2017/12/30

히맨의 PCT 캘리포니아 북부
보급지&랜드마크(영상) : http://bitly.kr/3ncaR**

시에라 시티 갤러리

보급 15 : 벨든 (Belden, 2066.9+0.0)

트레일 엔젤이 호스팅하는 리틀 헤이븐Little Haven에서 보급 상자를 받을 수 있다. 우체국 주소로 잘못 보내진 보급 상자들 또한 이곳에서 받을 수 있다. 이곳은 또한 침대와 화장실, 주방 등의 편의시설을 갖추고 있다. 트레일 엔젤이 트레일과 리틀 헤이븐을 오가며 하이커들을 픽업해 주는 것은 물론 아침에는 간단한 식사도 제공한다.

약 10분 정도 걸어서 이동이 가능한 카리부 크로스로드Caribou Crossroads에서 식사 및 식량구매, 세탁 등을 할 수 있다. 도보이동 시 좁은 급커브의 도로이므로 차량에 주의할 것.

– USPS : c/o Braatens PO Box 4 Belden, CA 95915
- Ground delivery (UPS or Fedex) :
  c/o Little Haven (Braatens) 15913 State Hwy 70,
  #4 Belden, CA 95915

- 리틀 헤이븐 홈페이지**
- 카리부 크로스로드 홈페이지**

last check : 2017/4/14

보급 16 : 체스터 (Chester, 2138.5+12.1)

체스터는 PCT에서 약 12km 떨어진 작은 마을이다. PCT 중간 지점 PCT mid Point에서 약 13km를 더 떨어진 도로Hwy36를 통해 이동할 수 있다. 우체국, 도서관, 식당 등 기본적인 시설들이 잘 갖추어져 있으며, 마을의 교회Lutheran church 뒤편에서 캠핑이 가능하다. 이곳에서 휴식을 취하며 PCT의 절반을 달성한 것을 축하하는 작은 파티를 하는 것도 좋겠다.

 : c/o General Delivery Chester, CA 96020

last check : 2017/12/04

보일링 스프링 (Boiling Spring Alternate, 2167.6+3.0)

3.02km 길이의 대안길이다. 구간의 끝에 위치한 보일링 스프링 레이크Boiling Springs Lake에서는 증기와 함께 펄펄 끓어오르며 흐르는 회색 빛 물을 볼 수 있다. 물은 51℃ 이상으로 뜨겁고 주변 지대가 불안정하므로 너무 가까이 가지 않도록 주의한다.

- 보일링 스프링 레이크 안내 페이지**

last check : 2017/4/14

서브웨이 케이브 트레일 (Subway Cave Trail, 2212.86+0.7)

PCT 2212.62km 지점에서 도로Hwy44를 건넌 후 바로 동굴로 향하는 갈림길을 볼 수 있으며, 약 700m 더 이동하면 동굴이 나타난다. 이정표로 잘 안내가 되어 있어 쉽게 찾을 수 있으며, 동굴에 대한 상세한 소개도 볼 수 있다. 한번 내려가면 반대편에 도달하기 전까지 아무것도 볼 수 없는 칠흑같이 어두운 동굴이므로 반드시 헤드램프을 이용하여 주변을 잘 살피기 바란다. 주차장 근처에 급수가 가능한 수도 시설이 있으니 참고할 것.

- 서브웨이 케이브 트레일 정보 1**
- 서브웨이 케이브 트레일 정보 2**

——— last check : 2018/3/7

서브웨이 케이브 트레일

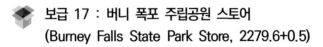

보급 17 : 버니 폭포 주립공원 스토어
(Burney Falls State Park Store, 2279.6+0.5)

버니 폭포 주립공원에서는 약 $40m_{129ft.}$에서 떨어지는 시원한 버니 폭포를 볼 수 있다. 큰 규모에 걸맞게 캠핑장, 가게, 깔끔한 화장실 등 각종 시설들이 잘 갖추어져 있어 많은 관광객들로 붐빈다. 특히 공원 곳곳에서 볼 수 있는 따뜻한 글귀들이 적힌 벤치들이 인상적이다. 가게에서 5달러의 수수료를 지불하고 보급 상자를 받아 볼 수 있으며, 방문자 센터에서 인터넷이 가능하다.

공원으로 향하는 대안 길로 접어 들 때에 안내가 잘 되어 있지 않아 길이 헷갈릴 수 있다. 길에 확신이 없을 경우 애플리케이션을 활용하여

버니 폭포

길을 찾아 갈 것.

 : c/o Burney Park Camp Store McArthur Burney Falls
State Park 24900 State Highway 89 Burney, CA 96013

- 버니 폭포 주립공원 홈페이지[**]
———————————————————————————— last check : 2017/5/28

샤스타 (Shasta, 2425.3+19.3)

샤스타는 샤스타 산[Mt. Shasta, 4322m] 아래 위치한 큰 마을이다. 대형마트와 장비점을 볼 수 있으며 특히 각종 패스트푸드 상점을 비롯 다양한 국적의 음식을 맛볼 수 있는 식당들이 많다. 마을 가운데에는 샤스타 산의 순수한 물을 마실 수 있는 음수대가 있다. 그 밖에 보급에 필요한 각종 시설이 잘 갖추어져 있으므로, 예비일을 가지며 재충전이 필요하다면 가까운 던스뮤어[Dunsmuir]보다는 샤스타를 추천한다. 단 보급만을 받고 운행을 지속하기를 원한다면 PCT에서 가까운 작은 커뮤니티인 카스텔라[Castella]에서 보급을 하는 것이 좋다.

 : c/o General Delivery Mt Shasta, CA 96067

- 샤스타 홈페이지[**]
———————————————————————————— last check : 2017/4/14

에트나 (Etna, 2570.4+16.7)

에트나는 PCT에서 약 17km떨어진 아기자기한 건물들이 모여 있는 아주 작은 마을이다. 마치 영화 세트장 같은 느낌이 시에라 시티와 비슷하다. 이곳에는 트레일 엔젤의 호스팅 장소인 하이커스 헛[Hiker's Hut]이 있다. 숙박은 하루에 인당 20달러이며, 시간표에 따라 5달러의 유료 픽업 서비스를 운영한다. 하이커스 헛에서 무료로 탈 수 있는 자전거를 타고 마을 곳곳을 둘러볼 수 있다. 자체 양조장에서 만든 다양한 맥주와 음식을 맛볼 수 있는 에트나 브류어리 펍Etna Brewery PUB은 꼭 들러보기 바란다.

🏠 **: c/o General Delivery Etna, CA 96027**

- 하이커스 헛 보급 정보 페이지**
- 에트나 브류어리 펍**

last check : 2017/4/14

에트나 도서관

📍 세이아드 밸리(Seiad Valley, 2660.9+0.0)

세이아드 밸리는 도로변에 위치한 아주 작은 커뮤니티이다. 10달러의 이용료2015년 기준를 지불하고 넓은 잔디밭에 자유롭게 텐트를 칠 수 있다. 또한 하이커 박스, 충전 및 샤워장(이용료 별도) 등의 편의 시설과 인터넷이 가능하다. 필요한 식량을 구매할 수 있는 상점이 있으며, 바로 옆에는 다양한 맛의 밀크쉐이크를 맛볼 수 있는 세이아드 카페Seiad Café가 있다. 이곳에서 5장으로 이루어진 8.7파운드3.96kg의 거대한 팬케이크를 2시간 안에 전부 먹으면 돈을 받지 않는 팬케이크 챌린지에 참여해보는 것도 좋은 추억이 될 수 있겠다. 2016년 7월에 성공한 PCT 하이커가 나오기까지 8년이 걸렸다고 하니 참고하기 바란다.

주소 : c/o General Delivery Seiad Valley, CA 96086

• 세이아드 카페 페이스북**

last check : 2017/4/14

세이아드 밸리에 위치한 세이아드 카페

4. 오리건
PCT OR

4. PCT 오리건

■ PCT Oregon

📍 구 간 : 오리건/캘리포니아 주계(Oregon/California Border, 2718.45km)
~ 캐스케이드록스(Cascade Locks, 3450.74km)

🗓 소요기간 : 29일(예비일 8일)

📦 보 급 : 4회

오리건 하이웨이 Oregon Highway. 평탄하고 길게 뻗은 길이 마치 고속도로 같다고 해서 붙여진 PCT 오리건 구간의 또 다른 이름이다. 실제 많은 하이커들이 700km가 넘는 거리를 경쟁하듯 2주 만에 마무리하며 자랑스럽게 인증사진을 찍는다. 하지만 오리건은 빠르게 지나쳐 버리기엔 아까운 아름다운 숲과 호수들로 가득하다. 워싱턴까지 이어진 캐스케이드 산맥을 따라 쓰리 시스터즈 the Three Sisters, 후드 산 Mt. Hood, 3429m 등의 화산과, 크레이터 레이크 Crater Lake 를 비롯한 크고 작은 아름다운 호수들을 만날 수 있다. 엘크 레이크 리조트 Elk Lake resort, 쉘터 코브 Shelter Cove 등의 휴양지가 많아 보급에도 유리하다. 오랜 역사의 팀버라인 로지 Timberline Lodge 를 지나 터널 폭포로 유명한 대안 길인 이글 크릭 Eagle Creek alternate 을 통해 PCT에서 가장 낮은 캐스케이드 록스를 만날 수 있다. 〈와일드〉의 마지막에도 등장하는 신들의 다리 the Bridge of the Gods 가 오리건 구간의 끝이다. 이 다리를 통해 컬럼비아 강 Columbia River 을 건너며 PCT의 마지막 구간인 워싱턴 구간이 시작된다.

히맨의 PCT 오리건
훑어보기(영상) : http://bitly.kr/4orW**

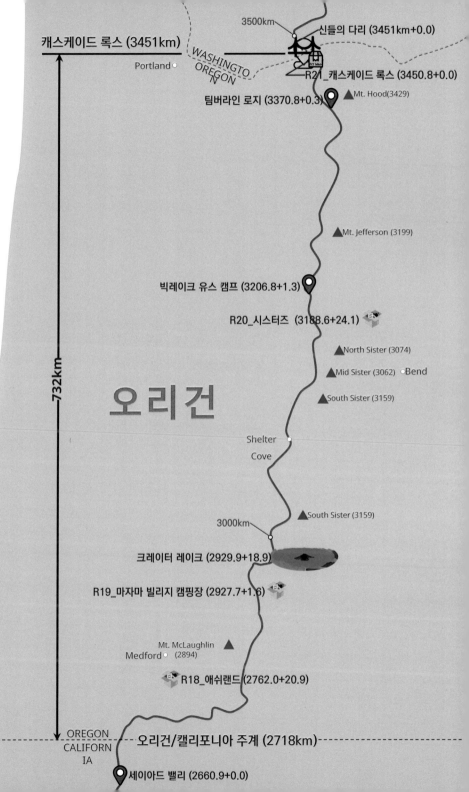

캐스케이드 록스 (3451km)

Portland

WASHINGTON
OREGON

3500km

신들의 다리 (3451km+0.0)

R21_캐스케이드 록스 (3450.8+0.0)

팀버라인 로지 (3370.8+0.3)

▲Mt. Hood(3429)

▲Mt. Jefferson (3199)

빅레이크 유스 캠프 (3206.8+1.3)

R20_시스터즈 (3188.6+24.1)

▲North Sister (3074)

▲Mid Sister (3062) ○Bend

▲South Sister (3159)

Shelter
Cove

오리건

732km

▲South Sister (3159)

3000km

크레이터 레이크 (2929.9+18.9)

R19_마자마 빌리지 캠핑장 (2927.7+1.6)

Mt. McLaughlin ▲
Medford○ (2894)

R18_애쉬랜드 (2762.0+20.9)

OREGON
CALIFORNIA

오리건/캘리포니아 주계 (2718km)

세이아드 밸리 (2660.9+0.0)

Day	Date	Location(from)	Location(to)	운행거리	PCT km	대안길	기상	Start	End	휴식횟수	코스 및 운행특이사항
106	2015-07-30	WA1675	WA1701	41.86	2738.09		5:45	7:01	18:56	-	13:05 California/Oregon border(California구간종료)
107	2015-07-31	WA1701	Callahan's Road(to	25.11	2761.92	1.28	4:18	5:30	10:53	3	-
108	2015-08-01	Ashland	Ashland	0	2761.92					-	예비일.
109	2015-08-02	RD1717(from Ashl	Hyatt Lake CG	39.18	2800.57	0.53	5:52	11:16	21:23	5	히치하이킹으로 북쪽 종 원래 이어지는 지점(RD1716B)를 900m 지나됨.
110	2015-08-03	Hyatt Lake CG	RD1759(to Ashland	30.4	2830.97		7:59	8:14	19:27	5	박청빈 만남
111	2015-08-04	Ashland	San Francisco(nea	0	2830.97		7:06			-	예비일.
112	2015-08-05	San Francisco(nea	San Francisco(Gra	0	2830.97		8:08			-	예비일. San Francisco 관광
113	2015-08-06	San Francisco(Gra	Medford(Medford H	0	2830.97		9:54			-	예비일. 박청빈 San Francisco airport로 픽업(to LA) 후 차량 반납 위해 Medford airport로
114	2015-08-07	Medford(Medford H	Medford(Medford H	0	2830.97		8:34			-	예비일. 박청빈 San Francisco airport로
115	2015-08-08	Medford(Medford H	Medford(Plaza Mot	0	2830.97		8:35			-	예비일
116	2015-08-09	Medford(Plaza Mot	Medford(Tiki Lodge	0	2830.97		8:30			-	예비일. Medford에서 히치하이킹 이동에 힘들고 큰 편단, 버스운행이 재개되는 다음날(월) As
117	2015-08-10	Medford-Ashland-F	near Hwy140	19.02	2849.99		8:30	15:22	19:25	0	11:10 Motel 체크아웃 후 bus로 Ashland로 이동 후, 주변의 히치하이킹을 통해...on PCT(RD
118	2015-08-11	near Hwy140	WACS1797	41.68	2891.67		5:50	7:00	16:09	2	-
119	2015-08-12	WACS1797	Hwy62(to Mazama	34.81	2926.48		5:00	6:35	14:24	0	Hwy62까지 운행 후 Mazama CG로 가는 길을 헤매다가 다른 하이커에게 길을 물어 함께 이
120	2015-08-13	Mazama Village CC	before Watchman	11.76	2929.86	9.65	6:40	12:53/16:0	14:34/17:45	0	Mazama CG에서 비로 Annie Spring Trail로 진입한면서, Hwy62에서 Annie Spring Trail jun
121	2015-08-14	before Watchman	WA1854	38.02	2983.04	10.92	6:20	7:55	16:42	1	Crater Lake alternate 10.92km 운행하여 다시 on PCT. 정식 PCT 구간(Crater Lake alterna
122	2015-08-15	WA1854	OSPond(Oregon S	45.23	3018.74	9.53	5:55	7:09	16:56	2	Oregon/Washington high point marker(2308m, 운행 7.56km 지점), 운행 35.7km 지점에서 아
123	2015-08-16	OSPond(Oregon S	near WACS1909	35.69	3071.33	28.76	4:45	6:02	17:07	2	Shelter Cove Resort에서 중간 후 식 점심식사(10:34~15:15)
124	2015-08-17	near WACS1909	WA1936	43.98	3115.31		5:45	6:59	15:36	2	-
125	2015-08-18	WA1936	near CS1960	44.53	3154.94	4.9	5:11	7:01	19:20	1	위 25km 운행하여 Elk Lake Resort에서 점심식사 및 휴식후 재출발하여 19km 운행
126	2015-08-19	near CS1960	Hwy242(to Sisters)	33.57	3188.51		5:15	6:36	14:06	2	운행 초반 오르막 내리막 반복되는 경사와 운행이후 나타나는 너덜지대. 또한 무더운 날씨에
127	2015-08-20	Sisters	Camp Sherman(Sh	0	3188.51		9:10			-	-
128	2015-08-21	Hwy242(from Shen	Youth Camp Head	19.53	3206.75	1.29	8:39	11:24	16:28	1	-
129	2015-08-22	Youth Camp Head	TR2018	42.98	3248.44	1.29	5:54	7:29	18:50	2	-
130	2015-08-23	TR2018	Olallie Store(Olallie	39.75	3287.99	0.2	5:43	7:01	16:02	4	-
131	2015-08-24	Olallie Store(Olallie	near WA2072B	46.78	3334.57	0.2	5:40	7:27	17:11	2	-
132	2015-08-25	near WA2072B	Timberline Lodge T	36.43	3370.72	0.28	5:01	6:33	14:40	3	Little Crater Lake alternate
133	2015-08-26	Timberline Lodge	WACS2116	34.88	3405.6		6:30	10:35	14:40	3	Timberline Lodge에서 조식 뷔페 후출발, Ramona water falls
134	2015-08-27	WACS2116	Cascade Locks	38.74	3450.74	24.22	5:41	6:57	14:53	3	Eagle Creek Alternate로 진입(08:36)하여 운행(Alternate 초입, PCT에서 가장 급한 경사 이
135	2015-08-28	Cascade Locks	Cascade Locks	0	3450.74		6:18			-	예비일. 이보() 선배님과 함께 Eagle Creek Alternate 운행(Trail head - Tunnel fall 왕복; 09
136	2015-08-29	Cascade Locks	Cascade Locks	0	3450.74		7:00			-	예비일. 08:30 Bridge of the Gods 근거리 행사 참여
137	2015-08-30	Cascade Locks	Cascade Locks	0	3450.74		7:45			-	예비일. Columbia Gorge Inn (Share room with Zerogram)

Day	Date	조식	중식	석식	Water(ml)	대변	소변
106	2015-07-30	프로틴(350)	행동식	재료 그램알파이+미소된장국+매쉬포테이토	-	-	5
107	2015-07-31	매식	매식				6
108	2015-08-01	모텔조식	매식(육계장+촌밥, Ashland)	매식(피자, Ashland)	-	1	
109	2015-08-02		해물비빔밥+라면		400	-	7
110	2015-08-03	누룽지	행동식	매식(햄버거, Ashland)			
111	2015-08-04	모텔조식	매식(햄버거, Wendy's, Medford)	컵라면	-	1	
112	2015-08-05	삼각김	매식(베이커리, San Francisco)	매식(크램+새우, Pier39, San Francisco)	-		
113	2015-08-06	참치죽	매식(제육볶음+청반찌장+양념치킨, 동박, San F	빵+우유	-	1	2
114	2015-08-07		매식(햄버거, Medford)		-		
115	2015-08-08		매식(햄버거, Medford)				
116	2015-08-09	컵라면+한식당(SooRah)일반찬	매식(햄버거, Wendy's, Medford)	매식(피자, Pizza Hut, Medford)			
117	2015-08-10	모텔조식	바나나	라면+채소그램알파이+밥이솥+자반김	20	1	5
118	2015-08-11	또띠아(땅콩+꿀)+우유+김치+초코파이 by Papa Tink	행동식	매식+MRE(스프+Pork Rib with 또띠아)	-		4
119	2015-08-12	또띠아(땅콩+꿀)+우유	동지냉면/매식(첫도+과일)	타코(Trail magic place at Mazama village CG/	-		3
120	2015-08-13	프로틴+빵+과자	매식(햄버거, Mazama village)			2	4
121	2015-08-14	또띠아(땅콩+꿀)+프로틴+맛밤	프로틴+라면2째,파.케티+안성탕면	프로틴/인스턴트밥+볶음고추장+자반김/비빔면		1	4
122	2015-08-15	또띠아(땅콩+꿀)+프로틴+꿀물	프로틴/동지냉면-소시지	인스턴트밥+볶음고추장+밥이솥+참치+라면스프			
123	2015-08-16	또띠아(땅콩+꿀)+프로틴	매식(피자, Shelter Cove resort store)	인스턴트밥+볶음고추장+밥이솥+김라면스프		1	3
124	2015-08-17	또띠아(땅콩+꿀)+프로틴(씨리얼)	프로틴(아몬드우유+우엔밀)	인스턴트밥+볶음고추장+밥이솥+김/머웬+우유		1	
125	2015-08-18	또띠아(땅콩+꿀)+누텔라+프로틴(커피)	트레일엔젤(배이글+크림치즈+치킨+트마토+살	인스턴트밥+볶음고추장+밥이솥+김/머핀+우유		1	5
126	2015-08-19		매식(햄버거)	갈비/치킨/빵+우유/째파게티			
127	2015-08-20	매식(베이커리+커피)	샌드위치 with Tink's parents in their cabin	스파게티+바게트+샐러드 with Tink's family		1	
128	2015-08-21	프렌치토스트+소시지+우유+김치 by Papa Tink	행동식	우프 급식 in Big Lake Youth Camp(스프+빵+버터			
129	2015-08-22	빵+프로틴	라면2+김치	스팸밥+볶음고추장+자반김+미소된장국		1	3
130	2015-08-23	또띠아(땅콩+꿀)+프로틴(핫초코+씨리얼)	비빔면	스팸밥+볶음고추장+자반김		1	5
131	2015-08-24	머핀+우유+프로틴(초코우유+씨리얼)	프로틴+스팸+째개티	스팸밥+볶음고추장+자반김		1	2
132	2015-08-25	또띠아(땅콩+꿀)+프로틴	또띠아(땅콩+꿀)+프로틴/매식(피자, Blue OX, T	스팸밥+볶음고추장+자반김/동지냉면(볶음고추		1	4
133	2015-08-26	매식(Timberline Lodge 조식 뷔페)	비빔면	인스턴트밥(Korean BBQ style)+째개티+스팸		-	
134	2015-08-27	누룽지+스팸+프로틴	비빔면	삼겹살+소고기			
135	2015-08-28	북어떡국	행동식	삼겹살+소고기+김치찌개			
136	2015-08-29	PCT days 무료조식(팬케이크+바나나+수박)/북어 및 다과 with ZEROGRAM	맥주 및 다과 with ZEROGRAM	매식(화+돌+대리아(피까)) with ZEROGRAM in 포틀		1	4
137	2015-08-30	PCT days 무료조식(팬케이크+프렌치토스트+바나	비빔밥(피자 사반+원)+맥주 및 다과 with ZEROGRAM)	매식(햄버거+냉동(소시지+원)+맥주 및 다과			

상세 운행기록 보기 ▶ http://bitly.kr/PCTnotes**

끝! 그리고 시작!~2738km(42km)

106일 차 : WA1675 ➜ WA1701

106일 차. 오리건 주와 캘리포니아 주의 경계에 도착했다.

106일 차 13시 05분 캘리포니아 끝. 오리건 시작.

끝이 없을 것만 같던 캘리포니아 구간을 마치고 새로운 오리건 구간을 걷는다. 하지만 이름만 다를 뿐 무엇이 다를까. 지금껏 보아온 환경들의 반복일 것만 같았다.

'이제는 권태와의 싸움이지 않을까?'

나와의 싸움 또한 계속 되고 있었다. 누워 쉬고 싶은 스스로와 치열하게 싸우며 몸이 아픈 순간에도 기록을 놓지 않고 있는 나. 그저 쉼을 가지고 싶어 이곳에 온 것도 있는데... 무언가와 계속해서 싸우고 있는 기분이다.

오리건 주에 들어선 것을 축하하는 메시지

앗, 여기가 아닌데··· ~2801km(39km)

109일 차 : RD1717(from Ashland) ➔ Hyatt Lake CG

오리건의 첫 마을인 애쉬랜드 Ashland 에서 휴식 후 복귀하는 길. 오랜 기다림 끝에 겨우 히치하이킹에 성공했다. 우리를 태워준 친절한 그녀는 원래 운행이 끊긴 지점 RD1716B 을 900m 지난 지점에 내려주었다. 위험한 도로 운행을 피하도록 한 배려였지만 잠시 고민이 되었다. PCT를 단 한 걸음도 건너뛰지 않고 이어서 두 발로 완주하는 것이 나의 목표다. 그렇다고 되돌아갔다 다시 이어 걷는 것도 무의미하다는 생각이 들었다. 그렇게 900m를 건너 뛴 것에 대한 아쉬움과 함께 걸음을 이어나갔다.

오늘은 휴가를 내고 한국에서 PCT까지 날아 온 창빈이 형을 만나기로 한 날이다. 만나기로 한 장소는 40km 떨어진 캠핑장. 이제 더는 내게 긴 거리는 아니었지만 얼마 전 샤스타에서 얻은 속병이 여전히 좋지 않았다. 속도를 낼 수 없었고 결국 깜깜한 한 밤중에야 도착하게 됐다. 드넓은 하이트 레이크 캠핑장Hyatt Lake CG에서 앞서 간 형을 찾아 헤맸지만, 결국 찾지 못하고 홀로 자리를 잡아야 했다. '창빈이 형은 잘 만났을까? 내일은 만날 수 있을까?' 하는 걱정과 함께 잠이 들었다.

여름휴가 그리고 다시 집으로~2831km(30km)

110~116일 차 : Hyatt Lake CG ➡ RD1759(to Ashland)

➡ San Francisco ➡ Medford

형들을 찾기 위해 평소보다 이른 시간에 일어나 캠핑장 이곳저곳을 서성였으나 결국 만나지 못했다. 그들보다 일찍 출발하여 길에서 기다리기로 결정했다. 중간에 만난 하이커에게 전화를 빌려 통화를 시도했지만 형의 전화는 연결되지 않았다. 미국 산 속에서의 전화 연결은 역시나 어려웠다. 하는 수 없이 중간에 쪽지를 남기고 다시 걸어 나갔다.

중간 급수지에서 잠시 쉬던 중 다른 하이커들을 통해 형들이 곧 올 거라는 이야기를 들었다. 길옆에 매트리스를 펴고 간식을 먹고 낮잠도 자며 3시간을 기다렸지만, 여전히 형들은 나타나지 않았다. 결국 만남을 포기하고 일어났다. 그제야 들리는 한국말 대화소리. 두 사람이 수다를 떨며 나타났다. 그렇게 셋이 걷기 시작했다. 여전히 힘은 들었지만 오랜만에 만난 창빈이 형과 이야기하며 걸으니 조금 나은 느낌이었다.

함께 캠핑을 할 예정이었으나 운행 막바지에 만난 도로에서 마음을 바꿨다. 히치하이킹을 통해 애쉬랜드로 다시 돌아간 우리는 다음 날 샌프란시스코로 향했다. 여름휴가였다. 열심히 걸은 것에 대한 보상과 같은 휴가는 여행 속 또 다른 여행이었다. 오랜만의 여유는 좋았다. 하지만 걱정도 함께 따라다녔다.

'내 몸은 언제 좋아질까? 이제 어떻게 돌아가지?'

'앞으로의 계획은?'

'에이 모르겠다'며 즐겨보려 하지만 쉽사리 떨쳐지지 않는 걱정이었다.

'어떻게 PCT에 복귀하나?' 하는 고민은 '어떻게 집으로 돌아가나?' 하는 고민과 같았다. PCT에서 많이 떨어진 마을에서의 복귀는 역시 쉽지 않았다. 버스도 운행하지 않는 날 2시간 가까이 히치하이킹을 시도하다가 결국 또 하루를 보내며 마음이 급해졌다.

115일 차 메드퍼드(Medford)의 맥도날드. 히치하이킹을 위한 판넬을 만드는 양희종

다음 날 버스를 타고 애쉬랜드로 이동하여 두 번의 히치하이킹을 통해 드디어 집에 돌아왔다. PCT에 복귀한 것이다. 휴가를 마치고 집에서의 일상을 다시 시작하는 느낌이었다. 약간은 어색한 느낌과 함께 다시 적응할 수 있을까 걱정이 됐다. 그럴 때마다 다시 한 번 각오를 다졌다.

'내 뒤에는 태극기와 내 피와 땀의 빨간 명찰이 있다.

매 순간 최선을 다하자!'

118일 차 운행 중 만난 길게 뻗은 나무.
외로이 서 있는 것이 참 외로워 보였다.

PCT DAY#119 20150812

이 길을 걸은 지 어느새 네 달이 되어간다. 매일 매 순간 스스로의 목표와 행동과 느낌에만 집중해왔다. 그럼에도 아직도 나를 뭐라 명확히 정의 내릴 수가 없다. 내가 누구인지 아는 것, 아마도 평생의 숙제이지 않을까. 끊임없이 여행하며 새로운 도전에 뛰어 드는 사람들의 생각을 조금은 이해할 수 있을 것 같다. 아마 같은 이유이지 않을까?

자기를 더 잘 들여다보고 이해하기 위해서.

나도 끊임없이 스스로와 대화하는 그런 어른이 되기를.

119일 차. 타버린 나무들 사이를 걷다.

크레이터 레이크! ~2930km(12km)

120일 차 : Mazama Village CG

→ before Watchman TR(Crater Lake alternate)

마자마 캠핑장 Mazama CG 에서 애니 스프링 트레일 Annie Spring Trail 로 진입한 후 크레이터 레이크 대안 길 Crater Lake alternate 로 들어섰다. 약 3.7km 를 걸어 림 빌리지 Rim Village 에 다다르자 눈앞에 거대한 호수가 펼쳐졌다. 광각의 카메라 렌즈에도 담기 힘들 정도의 거대한 호수였다. 그 짙푸른 호수의 비현실적인 아름다움에 빠져들었다. 림 빌리지의 기념품가게를 구경하다 문득 자전거 여행 혹은 신혼여행으로 다시 찾아도 참 좋겠다는 생각이 들었다. 이후 크레이터 레이크 림 트레일 Crater Lake Rim Trail 을 따라 약 4km 를 더 걸어 길 바로 옆에 자리를 잡고 누웠다.

정말 오랜만의 비박이었다.
한 밤 중 잠에서 깨어 바라본 호수 위 밤하늘엔
별이 한가득 펼쳐져 있었다.

120일 차 저녁. 크레이터 레이크 바로 옆에 누워 호수를 바라보며...

크레이터 레이크
Crater Lake

이제 오르막도 뛸 수 있겠는데?!~2983km(38km)

121일 차 : before Watchman TR(Crater Lake alternate) ➜ WA1854

크레이터레이크 전망대 Watchman 에 들리며 총 10.92km를 걸어 크레이터 레이크에서 다시 PCT로 돌아왔다. 정식 PCT 구간이 통제된 원인이었던 서쪽 부근의 화재로 인해 연기가 몰려왔다. 좋지 않은 길의 상태와는 다르게, PCT에 복귀하자마자 무언가 온 몸에 힘이 불끈 솟는 것이 느껴졌다. 25분이나 먼저 출발했던 형을 2시간 만에 따라잡았다. 오르막이 적지 않았음에도 시간 당 6km를 걸어냈다.

여유를 즐기다~3115km(125km)

122~124일 차 : WA1854 ➜ WA1936

PCT 오리건과 워싱턴에서 가장 높은 지점 Oregon/Washington high point marker, 2308m 을 지나 약 33km 길이의 오리건 스카이라인 트레일 Oregon Skyline Trail alternate 로 진입했다. 몸 상태가 좋아 걷는 속도가 빨라지면서 휴식시간도 늘어났다. 그동안 행동식으로 대체했던 점심식사를 긴 시간 휴식을 가지며 조리해 먹을 정도의 여유가 생겼다. 그야말로 평화로운 PCT였다. 쉘터 코브 리조트 Shelter Cove Resort 에서 점심을 먹고 낮잠도 자면서 무려 5시간을 쉬기도 하고, 엘크 레이크 리조트 Elk Lake Resort 에서도 19km의 운행거리가 남았음에도 긴 시간 여유를 즐길 수 있었다. 컨디션은 계속해서 좋았다. 계속해서 속도가 빨라지면서 124일 차에는 31km까지 한 번도 쉬지 않고 5시간 20분 동안 달리 듯 걸

OR/WA
HIGH PT. 7560'

기도 했다. 2번의 휴식을 가졌음에도 44km를 걷는데 총 8시간 30분 밖에 걸리지 않은 스스로에게 감탄하기도 했다.

 오리건의 휴양지

　오리건에서는 크고 작은 많은 호수들을 볼 수 있는데 그만큼 많은 휴양지들을 만날 수 있다. 덕분에 많은 식량을 지고 다니지 않아도 2~3일마다 만날 수 있는 리조트 등에서 보급이 가능하여 조금 더 가벼운 하이킹이 가능하다.

또 다른 정을 느끼다~3189km(34km)

126~127일 차 : near CS1960

→ Camp Sherman(Sherman Camp#1 : Tink family's cabin)

시스터즈Sisters 로 가는 길은 험난했다. 운행초반 오르막과 내리막이 반복되더니 중반 이후부터는 그늘을 찾아볼 수 없어 체력소모가 심했다. 특히 검고 뜨거운 화산암Lava rock 으로 이루어진 마지막 약 2km 구간은 그야말로 지옥 같았다. 겨우겨우 도착한 도로에서 트레일 엔젤과 레모네이드를 만나지 못했다면, 아마 히치하이킹도 못 하고 쓰러졌을지도 모르겠다.

정말 뜨거웠던 126일 차 화산암 구간

시스터즈에 도착한 다음날. 투올러미 캠핑장에서 만났던 하이커 팅크Tink 의 부모님의 별장에 초대를 받았다. 별장은 겉보기에 그리 커 보이지 않았는데 그건 나의 착각이었다. 주방에 거실에 화장실은 기본이고 침대만 5 개가 넘는 별장의 커다란 규모에 놀랐다.

웬만한 한국 집보다 좋은 그곳에서 팅크의 대가족과 함께 웃고 떠들며 오랜만에 여유로운 시간을 보냈다. 한 번 봤다고는 하지만 낯선 외국인을 자신의 별장으로 초대해 식사를 대접하고 침구까지 내주는 일은 분명 쉽지 않은 일이다. 마음껏 편하게 즐기라는 그들에게서 정을 느낄 수 있었다. 할아버지부터 손주까지 별장 앞에 둘러앉은 3대가 함께 밥을 먹고 자유롭고 즐겁게 소통하는 모습이 참 행복해 보였다. 그리고 부러웠다.

127일 차. 팅크의 가족들에게 자기소개 중인 양희종

시스터즈에서 복귀하여 걷기 시작한지 얼마 되지 않아 앞에서 다가오는 한 하이커를 마주쳤다. 가벼운 인사와 함께 지나치려는 순간 그는 대뜸 이렇게 물었다.

"Are you Korean?"
(한국 사람이에요?)

"안녕하세요."

나는 한국말 인사로 답을 했다. 그렇게 멕시코 국경을 향해 걷는 PCT SOBO 하이커 김기준 님을 만났다. 멈춰선 길 위에 앉아 한 시간 정도의 대화가 시작됐다. PCT를 걷고 있는 한국인은 다 알고 있다고 생각했는데 이렇게 길에서 마주치게 되어 신기했다. 이 길을 걷게 된 그의 사연이 궁금해졌다.

파란만장한 그의 인생 이야기와 2008년 애팔래치아 트레일을 걷고 긴 시간이 흐른 후 PCT에 오게 된 사연을 듣고 있는 나는 평범했다. 미국의 3대 장거리 트레일인 AT/PCT/CDT를 모두 완주하는 트리플 크라운이 그의 꿈이라고 했다. 꿈을 더는 미룰 수 없었다는 그의 다음 길이 기대되었다.*

그가 걸어온 워싱턴과 오리건의 남은 구간에 대한 정보는 앞으로의 운행에 많은 도움이 되었다. 더 많은 이야기를 듣고 싶었지만 서로의 완주를 응원하며 헤어질 수밖에 없었다. 걸어야할 서로의 길이 달랐기에... 그렇게 서로가 먼저 걸은 길을 공유하듯 앞으로 걸어 나갔다.

---

* 김기준 님은 2017년 그 꿈을 더 많은 이들과 함께 이뤄냈다.
김기준 님 페이스북**

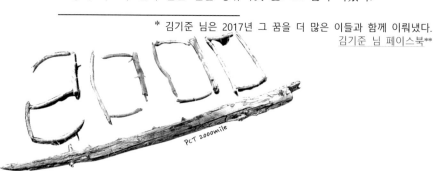

PCT 2000mile

맨발의 하이커~3371km(166km)

129~132일 차 : Youth Camp Head Quater(Youth Camp Trail)

→ Timberline Lodge Trail

이틀간 아무런 생각도 없이 멍하니 길을 걸었다. 높게 솟은 나무들 사이로 나있는 평탄한 길. 아무런 소리도 들리지도 않는 고요함 속을 걷는 느낌은 가히 몽환적이었다. 그저 다리가 움직이는 대로 따라 걷던 중 길 위의 발자국이 눈에 들어왔다. 그건 동물 발자국이 아닌 분명한 사람의 발자국이었다. 그 발자국의 주인공을 팀버라인 로지에서 만날 수 있었다. 알고 보니 계곡에서 쉬고 있을 때에 만난 맨발로 계곡을 건너던 하이커였다. 계곡에서 신발을 적시지 않기 위해 맨발로 가는 줄 알았는데, 그 발로 계속해서 PCT를 걸어왔단다. 맨발의 PCT 하이커라니! 이미 900km 이상을 맨발로 걸어왔다는 그를 보며 많은 생각이 들었다.

'그의 한 걸음 한 걸음은 조금 더 신중하고 소중하지 않았을까?'

131일 차 운행 중

PCT DAY#132 20150825

　　팀버라인 롯지의 소파에서 아이패드로 동영상을 보며 반쯤 누워있다. 최고의 휴식이다. 샤워도 할 수 있었지만 그건 이제 우선순위가 아니다. 땀에 절어 소금 얼룩이 생긴 상의에 구멍 난 먼지범벅의 바지를 입고, 식당을 드나들고 아무렇지 않게 화장실 물을 받아 마시고 있다.

　　PCT가 집 같다고 이야기 한 적이 있다. 한편으로는 조금씩 더 편안함과 안락함을 찾는 스스로를 보면서 의지가 조금씩 약해지고 있지는 않은가 불안하다.

　　하지만 이 조차도 PCT겠지. 내 목표는 완주와 기록이지만, 목적은 그 과정을 통해 나를 더 잘 알게 되는 거니까.

　　문득 이런 생각도 들었다.

"
'PCT에 안주하고 싶어지기 전에 어서 마무리 해 버리자!'

　　이게 정답인지는 모르겠지만 이것만은 확실하다. PCT가 아무리 길어도 그건 그냥 인생의 작은 하나의 길일 뿐이다.

131일 차 운행 중

신들의 다리!~3451km(39km)

134일 차 : WACS2116 ➡ Cascade Locks

이글 크릭 트레일 Eagle Creek Trail Alternate 로 진입하여 구간초반 PCT 에서 가장 험하고 급한 경사의 내리막을 미끄러지듯 걸어 내려갔다. 이후 아름답게 반짝이는 시원한 물이 흐르는 계곡이 펼쳐졌다. 물장구를 치며 신나게 노는 하이커들을 보면서 도저히 그냥 지나칠 수가 없었다. 결국 잠시 멈춰 시원한 계곡 바람을 맞으며 라면을 끓여먹었다. 입이 다물어지지 않는 맑고 시원한 계곡이 계속해서 이어졌다. 진짜 하이라이트는 따로 있었다. 길의 중반 길모퉁이를 돌아서자 비현실적인 아찔한 풍경이 펼쳐졌다. 시원하게 떨어지는 터널 폭포 Tunnel Falls 였다. 아찔한 높이의 길을 지나 폭포의 뒤로 뚫려있는 터널을 통과하며 영상을 찍었다. 영상 속의 나는 행복하게 웃고 있었다.

134일 차 운행 중

'대체 왜 이제야 나타난 거니?'

PCT 대안길 이글 크릭의 터널 폭포
Tunnel Falls, Eagle Creek Trail alternate

오리건의 마지막인 이글 크릭 트레일은 마치 오리건을 떠나지 말라고 나를 붙잡는 듯 했다.

'미안해. 하지만 나는 가야해.'

'사람들을 만나고 싶고, 신들의 다리도 보고 싶어.'

캐스케이드 록스로 향하는 PCT 하이커들은 모두 하나같이 들뜬 모습이었다. 캐스케이드 록스에 들어서자 저 멀리 신들의 다리가 보였다. 가슴이 벅찼다. 이곳까지 걸어온 모든 PCT 하이커들이 멋져보였다. 그 누구보다 아름다운 모습이었다. 무슨 이유에서였는지는 모르겠지만 사막에서 만난 외국인 아주머니의 한마디가 또다시 떠올랐다.

"

You are doing good!
(넌 잘하고 있어!)

Keep it up!!
(계속 걸어가렴!)

134일 차 캐스케이드록스로 향하는 길. 신들의 다리까지 얼마 남지 않았다.

내 아이패드 어디 갔어~!!~3451km(0km)

135일 차 : Cascade Locks

우리를 응원하기 위해 캐스케이드 록스까지 날아온 분들과 함께 맛있는 저녁을 먹었다. 즐거운 삼겹살 파티 후 돌아와 보니 아이패드가 사라졌다. 그 동안 PCT를 기록하는데 가장 핵심적인 역할을 했던 아이패드를 충전 중 도난당한 것이다. PCT 하이커가 아닌 외부인이 많은 장소임에도 아무 의심 없이 놔두고 돌아다닌 것을 후회해 보지만 이미 늦었다. 지금까지의 기록이 다행히도 다른 곳에 동기화되어 있다는 것으로 스스로를 위안하는 수밖에에... 덕분에 배낭은 조금 더 가벼워졌다.

이제 다 끝났구나 ~3484km(33km)

137~138일 차 : Cascade Locks ➜ near WA2165

시끌벅적했던 PCT 데이즈 PCT days 가 끝났다. 또 다른 한국인 PCT 하이커 쿨케이 Cool K 광수 형과 제로그램 이현상 대표님까지 네 명의 남자가 모텔에 모여 마주 앉았다. 대표님의 말씀이 기억에 남는다.

"이 PCT가 그저 평생의 훈장이 되지 않도록 하면 좋겠어요."

PCT를 다녀왔다는 그 사실만으로 그 이상의 행동을 멈춘다면, 평생 과거의 사실 하나만을 내세우는 사람과 다를 것이 없다는 것이었다. 자신의 경험을 마구 내세우기 보다는 경험을 내면화 시키는 과정이 필요하다. PCT를 계기로 아무리 힘들어도 즐거울 수 있는 설렘과 성취감, 그리고 다른 사람에게 희망을 줄 수 있는 그런 일을 찾을 것이다.

다음날. 반갑고 즐거웠던 기억을 뒤로 하고 다시 길 위에 섰다. 헤어짐은 항상 아쉽지만 이번엔 다른 때보다 좀 더 아쉬웠다. 어서 한국으로, 그리고 더 많은 사람들과 내 경험을 공유하고 대화할 수 있는 시간을 가지고 싶다는 생각이 들었다. 그렇게 신들의 다리를 건너 PCT의 마지막 워싱턴 구간을 맞이했다. PCT 데이즈 기간에 큰맘 먹고 산 PCT를 기념하는 목걸이도 함께였다.

'이제 다 끝났구나.'

BRIDGE OF THE GODS

20150829 PCT 131일 차 00시 01분
신들의 다리 걷기 행사 中

PCT 오리건 보급지&랜드마크

보급 18 : 애쉬랜드 (Ashland, 2762.0+20.9)

애쉬랜드는 미국의 작은 예술마을 중 2번째로 꼽힌 마을이다 Best Small Art Towns in America. 오리건 셰익스피어 페스티벌로도 유명한 마을이다. 파스텔 톤의 건물들과 깔끔한 거리에는 20개가 넘는 갤러리들이 있으며 극장들도 많다. 애쉬랜드 대학교와 커다란 도서관, 대규모 양조 시설을 갖춘 맥주 집 및 고급레스토랑들이 눈에 띈다. 외곽에는 한국인이 운영하는 일식당도 있다.

애쉬랜드는 다만 하이커들이 머물만한 저렴한 숙소를 구하기 힘들고, 주요 시설간의 이동이 도보로는 힘들다는 단점이 있다.

애쉬랜드로의 이동이 부담스럽다면 식당과 함께 운영되는 칼라한스 로지 Callahan's Lodge and Restaurant 로 가는 것도 좋다. 이곳은 PCT 하이커에게 공짜 맥주를 제공하는 등 PCT 하이커에게 호의적이다. PCT에서 도로를 따라 그리 멀지 않은 곳에 위치하고 있어 애쉬랜드에 가기 전에 들러보는 것도 좋다.

주소 : c/o General Delivery Ashland, OR 97520

- 애쉬랜드 소개 페이지**
- 칼라한스 로지 홈페이지**

———————————————————————— last check : 2017/4/14

히맨의 PCT 오리건
보급지&랜드마크(영상) : http://bitly.kr/4orR1**

보급 19 : 마자마 빌리지 캠핑장
(Mazama Village CG, 2927.7+1.6)

크레이터레이크 국립공원에 들어서며 가장 먼저 만날 수 있는 큰 규모의 캠핑장이다. 히맨은 1인당 이용료로 하루에 5달러를 지불했는데 2015년 기준, 이후 이용료가 인상된 것으로 보인다.(이용료는 링크 참조) 상점에서 보급이 가능하며 상점 앞에서 셔틀버스를 타고 크레이터 레이크 국립공원의 주요 포인트로 이동할 수 있다. 방문자 센터 Visitor Center 에서는 크레이터레이크에 대한 소개영상 등을 볼 수 있으며, 작은 우체국도 함께 운영되고 있으니 참고할 것.

 : c/o Mazama Village Store P.O. Box 158 Crater Lake, OR 97604

• 마자마 빌리지 캠핑장 홈페이지**

last check : 2017/11/30

마자마 빌리지 캠핑장

크레이터 레이크 (Crater Lake Alternate, 2929.9+18.9)

크레이터레이크 국립공원Crater Lake NP 내에 위치한 화산에 의해 형성된 세계에서 10 번째로 깊은 칼데라 호수이다. 미국에서는 가장 깊은 호수인데, 가장 깊은 곳의 수심이 594m, 평균수심 350m 이며 너비는 무려 7.3~9.7km 로 거대한 규모를 자랑한다. 호수로 물이 유입되거나 빠져나가는 곳이 없이 비나 눈으로만 채워져 있어 그 색깔이 매우 짙은 푸른색을 띤다. 시간적 여유가 된다면 여름에만 운영하는 보트를 타고 크레이터레이크 속 화산섬인 위자드 아일랜드Wizard Island 투어를 해보는 것도 좋겠다.

- 크레이터 레이크 국립공원**
- 크레이터 레이크 편의시설 및 상세정보**

last check : 2017/4/14

크레이터 레이크

보급 20 : 시스터즈 (Sisters, 3188.6+24.1)

시스터즈라는 이름은 마을의 남서쪽으로 24km 지점에 위치한 세 개의 화산에서 유래한다. 세 자매 Three Sisters 라고 불리는 이 산은 각각의 높이가 남쪽은 3,159m, 중앙은 3,062m, 북쪽은 3,074m이다. 북쪽의 봉우리가 가장 오래되었으며 남쪽의 봉우리가 1600년 전에 마지막으로 폭발한 가장 어린 봉우리이다.(자세한 내용은 링크 참조)

알록달록하고 아기자기한 상점들이 많은 마을인 시스터즈는, 화산암 구간 중간에 만날 수 있는 맥킨지 패스의 도로 McKenzie Pass, Hwy 242 를 통해 이동할 수 있다. 1~2km 도로를 따라 이동하면 화산암으로 지어진 디 라이트 천문대 Dee Wright Observatory 를 볼 수 있다. 차량 이동이 많은 이곳의 주차장에서 히치하이킹을 하는 것을 추천한다.

시스터즈에는 대형마트가 있어 보급에 용이하다. 다만 저렴한 숙소를 구하기 어려울 수 있으니 사전에 정보를 찾아볼 것. 또한 마을이 비교적 넓어 외곽 주거지역에 위치한 우체국을 찾기 어려울 수 있다.

커피로 유명한 '시스터즈 커피'에서 디저트와 함께 커피 한잔을 추천한다.

주소 : c/o General Delivery Sisters, OR 97759

- 시스터즈 홈페이지**
- 세 자매 산 정보**

———————————————————————— last check : 2017/4/14

빅레이크 유스 캠프 (Big Lake Youth Camp, 3206.8+1.3)

캐빈, 식당 등의 각종 시설을 갖춘 청소년 수련원이다. 식당에서 제공하는 무료급식을 먹을 수 있는 장점이 있다. 상점에서는 맛을 예측할 수 없는 특이한 이름의 음료들을 판매한다. 하지만 그 외에 식량이나 가스 등을 판매하지는 않으니 참고할 것.

블롭점프 등의 수상 레포츠 시설을 갖추고 있으며 캠프파이어 등의 이벤트가 열리기도 한다. 음식, 샤워, 세탁 등의 서비스는 운영기간이 따로 있다. 2018 년에는 6 월 5 일부터 9 월 17 일까지 운영된다.(링크 참조) 운영 기간 외에 도착하더라도 본관 사무실에서 보급 상자를 받을 수 있다. 보급 상자는 도착일로부터 최대 30 일까지 보관해주며, 이후 별도의 요청이 없을 경우 보낸 사람의 주소로 되돌려 보낸다. 숙박은 불가하나 근처의 캠프 사이트에서 야영이 가능하다.

 : c/o Big Lake Youth Camp 26435 Big Lake Rd Sisters, OR 97759

• 빅 레이크 유스 캠프 PCT 하이커 안내[**]

빅 레이크 유스 캠프

📍 리틀 크레이터 레이크 (Little Crater Lake, 3341.5+0.2)

리틀 크레이터 레이크는 말 그대로 화산활동에 의해 형성된 작은 크기의 호수이다. 크레이터 레이크 트레일에서 PCT로 복귀하여 얼마 지나지 않아 리틀 크레이터 레이크로 향하는 이정표를 만날 수 있다. 이곳에서 220m 밖에 떨어지지 않으니 꼭 한번 들러 가길 바란다.

짙푸른 크레이터 레이크를 멀리서 지켜봐야했다면 이곳에서는 바로 눈앞에서 바닥까지 비치는 맑고 투명한 호수를 볼 수 있다. 물은 계절과 상관없이 약 1℃의 매우 차가운 수온을 항상 유지한다고 한다. 주변에 화장실을 갖춘 캠핑장도 있으니 지나치지 말고 꼭 들러서 쉬어 가기를 권한다. 단 급수할 곳은 없으니 참고할 것.

- 리틀 크레이터 레이크 정보 페이지[**]
- 리틀 크레이터 레이크 캠핑장 정보[***]

last check : 2017/4/14

리틀 크레이터 레이크

📍 팀버라인 로지 (Timberline Lodge, 3370.8+0.3)

후드 산 Mt. Hood 근처에 있으며 스키장과 함께 운영되는 팀버라인 로지는 관광지로도 유명하여 많은 관광객들로 붐빈다. 80년 가까운 역사를 가진 장소답게 미국의 역사 기념물 National Historic Landmark 로 지정이 되어 있어 곳곳에서 스키장의 역사를 살펴볼 수 있다.

많은 PCT 하이커들이 이곳 3층의 소파에서 전자 장비들을 충전하며 휴식을 갖는다. 비교적 저렴한 캐스케이드 다이닝 룸 Cascade Dining Room 의 조식 및 중식 뷔페를 강력히 추천한다. 안타깝게 뷔페 운영시간을 놓쳤다면 지하에 위치한 식당인 블루 옥스 바 Blue Ox Bar 의 피자를 먹어보는 것도 좋다. 대체적으로 좋은 시설을 갖추고 있으나 저렴한 식당이 없고, 스키 시즌이 아닌 기간에는 식량을 보충할 만한 상점이 없다는 것이 아쉬운 부분이다.

- 팀버라인 로지 홈페이지**

last check : 2017/4/14

팀버라인 로지 안내판

📍 이글 크릭 트레일
(Eagle Creek Trail alternate, 3450.6+24.2)

이글 크릭 트레일은 화재로 인해 트레일이 통제되어 있는 상태이다. (2017년 11월 29일 현재) 온라인을 통해 수시로 트레일 상태를 확인할 것.

대안길 PCT alternate 인 이글 크릭 트레일은 오리건의 가장 북쪽 구간에 위치한 약 24km 길이의 환상적인 계곡길이다. 오리건이 끝나는 것을 자축이라도 하듯 많은 하이커들이 맑은 계곡 물에서 수영을 하며 휴식을 취한다. 특히 9.22km 지점 NOBO 기준의 터널 폭포 Tunnel Falls 를 보게 된다

이글 크릭 트레일

면 탄성이 절로 나올 것이라 확신한다. 약 50m 높이에서 떨어지는 시원한 폭포의 뒤로 뚫려 있는 터널을 통해 길이 이어져 있다.

- <u>PCT 트레일 정보 페이지</u>**
- <u>이글 크릭 트레일 정보 페이지</u>**

──────────────────────────── last check : 2017/11/29

이글 크릭 트레일

보급 21 : 캐스케이드 록스 (Cascade Locks, 3450.8+0.0)

캐스케이드 록스는 오리건과 워싱턴의 경계 역할을 하는 컬럼비아 강 Columbia River에 만들어진 일종의 수로이다. 이는 선박들이 협곡을 빠르게 통과할 수 있도록 한다. 주변으로 형성된 마을에는 우체국, 식당은 물론 트레일 엔젤 슈렉Shrek의 PCT 하이커 호스팅 장소도 있다. 또한 한국인이 운영하는 마트와 아이스크림 가게가 있는데, 한국 초코파이와 지금껏 보지 못했던 엄청난 양의 아이스크림을 맛볼 수 있다.

고도가 43m로 PCT에서 가장 낮은 지점인 이곳의 마린파크Marine Park 에서는 매년 PCT 하이커들의 축제인 PCT 데이즈PCT days 행사가 열린다. PCT 협회는 물론 많은 아웃도어 브랜드들이 참여하여 다양한 이벤트를 진행한다. 2018년 12회를 맞이하는 PCT 데이즈 행사는 8월 17일부터 19일까지 열릴 예정이다.

주소 : c/o General Delivery Cascade Locks, OR 97014

- 캐스케이드 록스 홈페이지**
- PCT 데이즈 홈페이지**

last check : 2017/10/21

PCT 데이즈 2015
2015828-20150830

📍 신들의 다리 (the Bridge of the Gods, 3451km+0.0)

신들의 다리는 컬럼비아 강_{Columbia River} 위에 놓인 철교이다. 모든 PCT 하이커들은 이 다리를 건너며 PCT 의 마지막 구간인 워싱턴 구간을 걷기 시작한다. 또한 PCT를 걸은 미국의 여성작가 셰릴 스트레이드의 작품인 〈와일드〉의 마지막에 등장하는 다리이자 PCT 의 유명한 랜드마크이기도 하다. 셰릴은 신들의 다리에서 PCT 여정을 마무리한다.

- [신들의 다리 소개페이지 1](**)
- [신들의 다리 소개페이지 2](**)

last check : 2018/1/2

신들의 다리. 다리 한가운데서 워싱턴이 시작된다.

5. 워싱턴
PCT WA

5. PCT 워싱턴

PCT Washington

구 간 : 캐스케이드 록스(Cascade Locks, 3450.74km)
~ 모뉴먼트78(Monument 78, 4264.92km)
~ 매닝 파크(Hwy 3 near the Manning Park Lodge, 4279.09km)

소요기간 : 38일(예비일 8일)

보 급 : 3회

캐스케이드 록스의 신들의 다리를 건너며 PCT 워싱턴 구간이 시작된다. 워싱턴 구간은 고도 차이가 큰 수많은 패스Pass를 넘어야 한다는 점에서 캘리포니아 중부 구간과 닮아 있다. 고트 락 야생보호구역Goat Rocks Wilderness와 레이니어 야생보호구역Mt. Rainier Wilderness 등을 지나며 탁 트인 시원한 풍경을 볼 수 있다. 높게 솟은 레이니어 산을 바라보며 걷다 보면 어느새 노스 캐스케이드 국립공원North Cascades NP에 진입하게 된다. 그리고 PCT도 끝을 향해 달려간다.

드디어 미국과 캐나다의 국경이자 PCT의 종료 지점이라 할 수 있는 모뉴먼트 78에 도달한다. 많은 하이커들이 이곳의 PCT 최북단 포스트PCT Northern Terminus 앞에서 PCT 완주의 기쁨을 표현한다. 국경에서 PCT가 완전히 끝난 것은 아니다. 이곳에서 캐나다로 약 14km 더 걸어가면 캐나다 BC주 매닝 파크Manning Provincial Park, Hwy3 표지판을 만나게 된다. 여기까지가 현재 완성된 PCT의 끝이다.

히맨의 PCT 워싱턴
훑어보기(영상) : http://bitly.kr/5waW*

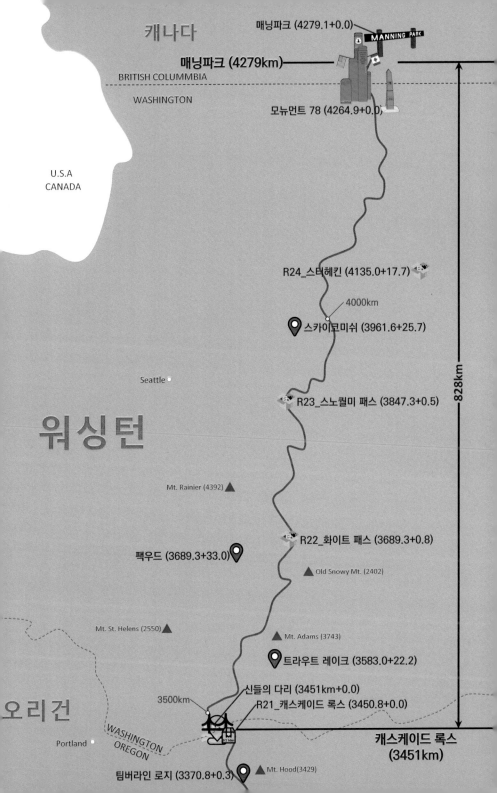

Day	Date	Location(from)	Location(to)	운행거리	PCT km	다인걸	기상	Start	End	휴식횟수	코스 및 운행특이사항
138	2015-08-31	Cascade Locks	near WA2165	33.21	3483.95		7:40	9:26	17:49	2	의 16km지점(RD2226B)에서 트레일 통제(근방 화재) 확인 및 Trout Lake로 히치하킹을 통
139	2015-09-01	near WA2165	WACS2191	41.42	3525.37		5:38	7:05	17:35	1	-
140	2015-09-02	WACS2191	near CS2216	41.33	3566.7		5:40	7:07	16:27	2	-
141	2015-09-03	near CS2216	RD2226B(to Takhla	38.27	3582.97	22	5:08	6:36	19:36		Road23을 통한 Detour route 운행완료하여 다시 on PCT. 발 부상이 있으나 위쪽의 마을로 출
142	2015-09-04	Takhlakh Lake CG	WA2251(out to tow	16.25	3622.26	16.25	6:56	11:02	15:30		
143	2015-09-05	Best Western Plus	Husum Riverside B	0	3622.26		8:38	-	-		13:30 호스텔 check in
144	2015-09-06	Husum Riverside B	near Trout Lake(TF	0	3622.26		8:04	-	-		호스텔에서 check out하여 Trout Lake로 히치하킹, 다시 다른 히치하이커와 함께 피켓차량을 붙여 더
145	2015-09-07	near Trout Lake(TF	WACS2258	11.95	3634.21		8:32	17:00	19:38	0	
146	2015-09-08	WACS2258	near WA2270B	19.87	3654.08		6:36	8:15	15:25	2	-
147	2015-09-09	near WA2270B	Hwy12(to White Pa	35.95	3689.23	0.8	5:48	7:02	17:37	4	12:10 check out하여 Packwood로 히치하이킹 이동. Packwood RV park chek in(15:00)
148	2015-09-10	Kracker Barrel con	Packwood(RV park	0	3689.23		8:17	-	-		-
149	2015-09-11	Packwood(RV park	Packwood(RV park	0	3689.23		7:16	-	-		-
150	2015-09-12	Packwood(RV park	Packwood(RV park	0	3689.23		8:18	-	-		-
151	2015-09-13	Packwood(RV park	Packwood(Hotel P	0	3689.23		7:53	-	-		-
152	2015-09-14	Packwood(Hotel P	WACS2298	9.64	3698.87		10:30	15:57	18:11	0	12:20 히치하이킹 시작하여 15:57 on PCT
153	2015-09-15	WACS2298	near WA2317C	30.88	3729.75		6:40	8:09	19:30	4	-
154	2015-09-16	near WA2317C	WACS2339	35.05	3764.8		5:40	7:10	18:26	3	항회종 대원과 합류, 먼저 출발
155	2015-09-17	WACS2339	CS2365	40.75	3805.55		5:17	6:40	19:42	9	항회종 대원과 합류, 먼저 출발
156	2015-09-18	CS2365	Snoqualmie Road(	42.23	3847.29	0.49	5:07	6:13	19:38	9	항회종 대원과 합류, 먼저 출발
157	2015-09-19	Snoqualmie Pass	Thunder Creek(14	15.46	3847.49	15.26	8:08	13:00	19:09	2	Goldmeyer alternate, 좁은 트레일에 많은 Day hiker들로 인해 운행 속도 감소.
158	2015-09-20	Thunder Creek(14	WACS2432	38.11	3914.44	26.67	5:52	6:57	21:40	8	Goldmeyer alternate. 상당히 험한 너덜지대와 폭포를 통과하는 코스, 오후 늦게 on PCT하
159	2015-09-21	WACS2432	CS2437	7.96	3922.4		6:01	8:12	14:16	2	-
160	2015-09-22	CS2437	WACS2451	21.7	3944.1		8:02	9:20	19:50	6	05:15에 기상 후 조식, 06:30 출발 예정이었으나 Stevens Pass까지 너귀 나귀 가기로 결정
161	2015-09-23	WACS2451	Hwy2J(to Skykomis	17.49	3961.59		5:41	7:30	15:01	2	-
162	2015-09-24	Skykomish(CASCA	Skykomish(CASCA	0	3961.59		7:58	-	-		-
163	2015-09-25	Skykomish(CASCA	Skykomish(CASCA	0	3961.59		7:48	-	-		-
164	2015-09-26	Hwy2J(from Skyko	WACS2471	15.69	3977.28			13:55	19:01	2	-
165	2015-09-27	WACS2471	WACS2484	20.57	3997.85		7:00	9:10	17:55	6	-
166	2015-09-28	WACS2484	between TR2500 &	27.63	4025.48		6:45	8:07	19:17	8	현재 속도로는 Stehekin에서의 재보급이 일반적으로 불가하다는 판단. 항회종 대원의 재보
167	2015-09-29	between TR2500 &	WACS2519	28.13	4053.61		6:00	7:35	19:30	9	-
168	2015-09-30	WACS2519	CS2538B	31.05	4084.66		5:35	7:25	19:03	8	-
169	2015-10-01	CS2538B	WACS2557	30.39	4115.05		5:35	7:10	17:49	8	-
170	2015-10-02	WACS2557	WACS2574	27.9	4142.95		5:30	7:17	18:26	7	14:20 High Bridge 도착, 14:45 마을에서 복귀하는 항회종 대원과 만남(식량 재보급)
171	2015-10-03	WACS2574	CS2591	26.99	4169.94		5:40	7:15	17:49	5	항회종 대원 항월모(연지정 포인트에 도착)
172	2015-10-04	CS2591	CS2610	29.85	4199.79		5:30	7:12	18:44	7	-
173	2015-10-05	CS2610	CS2628	29.05	4228.84		5:30	7:09	18:38	6	-
174	2015-10-06	CS2628	Castle Pass	30.17	4259.01		5:30	7:39	18:07	6	운행중 항회종 대원 만남
175	2015-10-07	Castle Pass	Manning Park Lodg	20.08	4279.09		6:03	7:57	15:07	2	PCT 종료.

Day	Date	조식	중식	석식	Water(ml)	대변	소변
138	2015-08-31	빵+우유+라면	빵	인스턴트밥(Korean BBQ style)+볶음고추장+콩			
139	2015-09-01	프로틴바+오트밀	비빔면+프로틴+빵	인스턴트밥+카레/라면/프로틴+초코파이			
140	2015-09-02	프로틴(핫초코)+초코파이	행동식	인스턴트밥(Korean BBQ style)+고추참+찌짜			
141	2015-09-03	누룽지+육개장	매식(햄버거2, Trout Lake)	Trail Angel's meal at CG(단고+참)+은비빔면			
142	2015-09-04	프로틴(씨리얼)+빵magic(스크램블에그+식빵+콩	행동식	매식(햄버거, Best Western restaurant)			
143	2015-09-05	호텔조식	매식(햄버거, Mcdonald)	매식(Husum Riverside Bed & Breakfast)			
144	2015-09-06	호텔조식	매식(햄버거, Trout Lake)	마운틴하우스+유훈스헬제(오뜨미어+누텔라)+우유			
145	2015-09-07	호스텔조식	매식(햄버거, Trout Lake)	마운틴하우스+과라+참치+빵+물기름			
146	2015-09-08	오트밀+빵+누텔라+핫초코	마운틴하우스+프로틴(씨리얼)	인스턴트밥+볶음고추장+자반김			
147	2015-09-09	오트밀+프로틴(씨리얼)	행동식	짜파게티			
148	2015-09-10	매식(잉글리쉬머핀+우유	매식(햄버거)	매식(치킨)			
149	2015-09-11	매식(카피+스콘)	매식(치킨)	컵라면+도너츠+우유			
150	2015-09-12	우유(씨리얼)	매식(피자)				
151	2015-09-13	치즈케이크+커피	매식(햄버거)	매식(치킨)			
152	2015-09-14						
153	2015-09-15	또띠아(명콩+콩)+프로틴(씨리얼)	짜파게티	인스턴트밥+밥이랑+볶음고추장+자반김/아끼소			
154	2015-09-16	또띠아(명콩+콩)+프로틴(씨리얼)	인스턴트밥(Korean BBQ style)+볶음고추장+자	인스턴트밥+밥이랑+볶음고추장+자반김+라면국			
155	2015-09-17	또띠아(명콩+콩)+프로틴(씨리얼)	라면	인스턴트밥+고기볶음+자반김+라면스프/비빔면			
156	2015-09-18	식빵(명콩+콩)+프로틴	식빵(명콩콩)+프로틴+사과	인스턴트밥(Korean BBQ style)+인스턴트밥+볶			
157	2015-09-19	빵+피이+우유	또띠아(명콩, Snoqualmie Pass)	매식(햄버거, Summit Inn, Snoqualmie Pass)			
158	2015-09-20	오트밀+또띠아(명콩)+프로틴(씨리얼)	매식(햄버거, Snoqualmie Pass)	인스턴트밥+캣밥/프로틴(씨리얼)			
159	2015-09-21	오트밀+또띠아(명콩)+프로틴(씨리얼)	프로틴	인스턴트밥+볶음고추장+자반김+밥이랑+라면+컵			
160	2015-09-22	오트밀+또띠아(명콩)+프로틴(씨리얼)	라면+컵김치	인스턴트밥+볶음고추장+밥이랑+미소된장국			
161	2015-09-23	오트밀+또띠아(명콩)+프로틴(씨리얼)	매식(햄버거, Skykomish)	매식(핫도그, Skykomish)			
162	2015-09-24	머핀+우유	매식(햄버거, Skykomish)	-			
163	2015-09-25			샌드위치+우유			
164	2015-09-26	샌드위치+우유	매식(햄버거)	인스턴트밥(Spanish)			
165	2015-09-27	파스타치린스모+오트밀+핫초코	행동식	라면+김치+볶음고추장			
166	2015-09-28	오트밀+핫초코	행동식	인스턴트밥+밥이랑+볶음고추장			
167	2015-09-29	파스타린스모+오트밀	행동식	프로틴(건과,오뜨밀)/라면+김치			
168	2015-09-30	파스타치린스모+프로틴(건과류)	행동식	인스턴트밥(Spanish)+볶음고추장+라면스프			
169	2015-10-01	파스타치린스모+프로틴(건과류)	행동식	인스턴트밥+밥이랑+볶음고추장+참치+라면			
170	2015-10-02	파스타소스+프로틴(건과류)	베이커리+우유	라면+볶음고추장/베이커리+프로틴			
171	2015-10-03	시나몬롤+프로틴	행동식	프로틴+볶음고추장/식빵(명콩)+프로틴			
172	2015-10-04	프로틴+스낵(명콩)+오트밀	행동식	프로틴/파스타+볶음고추장+라면스프			
173	2015-10-05	프로틴+식빵(명콩)+오트밀	Trail Magic(핫도그+베이컨+감자)	라면+프로틴(씨리얼)			
174	2015-10-06	프로틴(씨리얼)+참치+프로틴(씨리얼)+오트밀	행동식	치즈스타+볶음고추장+밥이랑/프로틴(씨리얼)			
175	2015-10-07	또띠아+프로틴(씨리얼)+오트밀	샌드위치+우유	매식(스시, 벤쿠버)			

상세 운행기록 보기 ▶ http://bitly.kr/PCTnotes**

이제 워싱턴 구간 830km만 걸으면 PCT가 끝난다. 분명 짧지 않은 거리지만 지금까지 걸은 거리에 비하면 짧게만 느껴졌다. PCT가 다 끝난 것만 같았다. 그리고 나도 모르게 PCT 이후를 생각하고 있었다.

계획은 계획일 뿐~3567km(41km)

140일 차 : WACS2191 → near CS2216

오랜만에 비를 맞으며 걸었다. 얼마 전까지 화재로 트레일이 닫혔다는 그 워싱턴이 맞나 싶을 정도로 비가 주룩주룩 내렸다. 샌프란시스코에서의 휴가 중 재킷을 잃어버렸지만 그동안 비가 오지 않아 별 문제 없었다. 그런데 이렇게 비가 쏟아지는 걸 보니 캐스케이드 록스에서 재킷을 지원받지 못했다면 참 난감할 뻔했다.

오랜만에 비를 맞으며 걷는 느낌이 나쁘지 않았다. 하지만 이내 문제가 생겨버린 보급 일정을 어떻게 해결할까 하는 고민들로 머리가 아파왔다. 다음 보급지인 화이트 패스White Pass의 도착 예정일이 주말이어서 무거운 짐들을 덜어내고 가려는 계획에 차질이 생긴 것이다. 토요일에 어떻게든 물건을 부칠 방법이 없을까 여러 방법들을 생각해봤지만 뾰족한 수는 나오지 않았다. 그렇다고 월요일까지 시간을 허비하기는 싫었다. 어떻게 해서든 9월 20일에 PCT를 끝내고 싶었다. 그 마음을 알고 있었던 형은 혼자 월요일까지 화이트패스에 남아서 보급 상자를 보내고 가겠다고 했다. PCT 초반이었다면 아무런 망설임 없이 이별을 택했겠지만 지금까지 함께 걸어왔기에 고민이 되었다.

정말 좋았던 꽉 찬 하루~3583km(38km)

141일 차 : near CS2216 ➜ RD2226B(to Takhlakh Lake CG)

운행 약 16km지점RD2226B에서 얼마 전 발생한 트레일 근방의 화재로 인해 길이 통제되어 있었다. 며칠 전부터 비가 계속 내렸기에 혹시나 통제가 풀리지 않았을까 기대했지만, 어쩔 수 없이 도로를 통해 돌아가야 했다. 도로 운행 경로를 알아보고 휴식도 취할 겸 근처 마을인 트라우트 레이크Trout Lake로 이동했다. 점심으로 커다란 햄버거를 2개나 먹어 치우고 잔디밭에 누워 여유롭게 낮잠까지 즐겼다.

다시 PCT에 돌아와 도로 우회 길을 걷기 시작했다. 한참을 걸어 도착한 타크라크 레이크 캠핑장Takhlakh Lake CG에서 클러치라는 하이커의 삼촌을 만났다. 트레일 엔젤을 자처한 그 덕분에 따뜻한 모닥불에 둘러 앉아 맛있는 저녁을 먹을 수 있었다.

운행을 마친 후 평소보다 발에 통증이 컸지만 기분은 좋은 그런 날이었다. 마을에서의 휴식도 즐기고, 목표한 거리도 채우고, 트레일 매직까지 만난 완벽한 하루였다. 앞으로도 쭉 이런 날들이 이어질 것만 같았다. 얼마 남지 않은 PCT는 이렇게 평화롭게 끝날 것만 같았다. 적어도 다음날 아침 텐트를 나서기 전까지는 그랬다.

141일 차. 베이비 슈 패스(Baby Shoe Pass)

141일 차 운행 중

절뚝이다 ~3622km(16km)

142일 차 : Takhlakh Lake CG(Detour route) ➔ WA2251(out to town)

　기상 후 텐트에서 나오며 일어서는데 왼 발목과 아치의 통증이 어마어마하게 밀려왔다. 매일 아침이면 항상 뻐근한 정도의 통증이 있기는 했지만 이번에는 달랐다.

　'곧 괜찮아지겠지...'

　걷는 내내 통증은 전혀 줄어들지 않았고 속도는 점점 줄어들었다. 나를 앞질러간 형은 점점 멀어지더니 어느새 보이지 않게 됐다. 그 대신 다리를 절뚝이고 있는 내가 보였다. 겨우겨우 도로 구간을 끝내고 PCT에 복귀하며 다시 형을 만났다. 탈출하자는 형의 말에도 가까운 사이트로 가자며 고집을 피워 다시 걷기 시작했다. 5분 정도 걸었을까. 더는 걸어 나갈 자신이 없어졌다. 결국 고집을 꺾고 마을로 탈출을 결정했다.

걸어 온 도로를 따라 돌아가며 히치하이킹을 시도했지만 차량 자체를 찾아보기 힘들었다. 어쩔 수 없이 다시 출발지였던 캠핑장으로 힘겨운 발걸음을 옮길 수밖에 없었다.

"다 왔어, 다 왔어. 5분만 더 가자."

스스로를 달래며 폭우 속에서 터벅터벅 한 발씩 내디뎠다. 그럼에도 오늘은 도저히 스스로의 힘만으로 버텨내며 걷는 것은 불가능해 보였다. 그저 형이 서둘러 부르러 간 차가 달려오기만을 간절히 바랐다. 스스로를 통제할 수 없고 다른 무언가에 의지하고 기댈 수밖에 없는 나의 상황이 너무도 답답했다.

'지금껏 한눈팔지 않고 길에만 집중해왔는데...

대체 나한테 왜 그러는 거야!!'

억울했다. 열이 받아 스틱을 팍 하고 내리꽂아도 보고, '생각대로 다 되는 게 아니니까 인생이겠지?'라며 억지웃음을 지어보기도 하지만 답답함은 쉽게 사라지지 않았다. 그렇게 한 걸음 한 걸음 스틱에 의지해 버티듯 걸어 나가던 중 드디어 나를 데리러 온 차가 멈춰 섰다.

하필이면 연휴기간. 빈 방을 찾아 이곳저곳을 헤매다 겨우겨우 찾은 비싼 호텔 방의 침대에 앉았다. 양말을 벗으니 그제야 가려져있던 퉁퉁 부어오른 발목이 보였다. 오리건 구간부터 신기 시작한 신발은 불안정했고 그동안 걸으며 자주 발목이 꺾였다. 그럼에도 무시하고 계속 걸었던 것이 발과 발목을 무너뜨리며 문제가 커진 것 같았다. PCT에서 가장 큰 고통과 인내의 시간이 시작된 순간이었다.

과연 완주할 수 있을까? ~3634km(12km)

143~145일 차 : (Best Western) ➡ WACS2258

　　모텔과 호스텔 등으로 옮겨 다니며 예상치 않은 예비일을 보내게 됐다. 예쁜 정원과 절이 함께 있는 호스텔에서는 바람 소리, 물소리와 어우러진 풍경소리를 들으며 마음의 안정을 찾기도 했다. 하지만 그것도 잠시. 이전 같으면 여행 같은 기분을 만끽하며 즐겼을 테지만 쉬는 게 쉬는 게 아니었다. 휴식을 취하는 내내 내 머릿속에는 한 가지 생각으로 가득했다.

'PCT를 완주할 수 있을까?'

'사람들은 내게 이렇게 힘든 순간이 있었다는 것을 알까?'

20150904 PCT 142일 차 10시 25분
타크라크 레이크 CG

열려있는 모텔의 문 밖으로 보이는 커다란 나무를 멍하니 바라보았다. 문득 얼마 전 라디오에 소개되었다던, 아이딜와일드에서 만난 산골 아주머니의 사연이 궁금해져 다시듣기를 찾아 들었다. 우연히 한국인을 만난 반가움, 우리를 초대해 진수성찬을 차려주시고도 제대로 대접하지 못한 것 같다며 아쉬움을 표현하셨다. 끝으로 우리에게 많은 응원의 메시지를 보내주기를 바란다는 내용의 사연은, 모텔 침대에 힘없이 기대 앉아 있던 나를 울게 했다.

143일 차 예정에 없던 제로데이.
열린 문 밖으로 보이는 풍경은 참 밝고 예뻤다.

PCT가 얼마 남지 않아서인지 이 길을 마치고나면 뭐할 거냐는 질문을 받는 일이 많아졌다. 호스텔 조식을 함께 한 여행자 할머니도 같은 질문을 하셨다. 글쎄... PCT를 정리하는 시간을 가지려는 것 외에는 별다른 계획을 세운 게 전혀 없었다. 그저 "재미있고 설레는 일을 찾을 거예요"라고 말할 뿐이었다. 그 말을 들은 할머니는 한국에 돌아가면 나를 즉흥적_{Spontaneous}이라고 해야 할 거 같다고 하셨다.

호스텔에서 나온 우리는 트라우트 레이크로 다시 이동했다. 이곳에서 다른 하이커와 함께 픽업차량을 타고 PCT에 복귀했다. 긴 휴식 후 오랜만에 다시 복귀한 길을 걷기 시작한지 얼마 안 되어 불길한 느낌이 들었다. 지갑을 잃어버린 사실을 뒤늦게 깨달았다. 분명 픽업차량에 오르기 직전까지도 가지고 있었는데... 아마도 차 안에서 빠진 것 같았다. 안 좋은 일은 한꺼번에 일어난다더니... 덕분에 우울함은 한층 더 깊어졌다.

'이제 진짜 거지인건가?'

 PCT DAY#145 20150907

아픈 척하고 엄살 부린다고 해결되지 않아.
누가 대신 아파 주지도 않아. 혼자 이겨 내야 해!
- 아파.
- 회복에 분명 오랜 시간이 걸릴 거야...
  하지만, 너 같으면 여기서 포기하겠냐??
- 할 수 있을 거야... 아냐 할 수 있어. 할 거야.

한 걸음의 소중함 ~3689km(56km)

146~149일 차 : WACS2258 ➡ Hwy12(to White Pass)

➡ Packwood(RV park)

　절뚝이기 시작한 그날부터 형은 내 뒤에 바짝 따라 붙으며 함께 걸었다. 나는 이를 악물고 통증을 참으며 한 걸음 한 걸음 내디뎠다. 발이 길과 닿으며 조금이라도 아픈 각도로 놓일 때마다 엄청난 통증이 몰려왔다. 그야말로 악 소리가 날 정도였다. 정말 한 걸음 한 걸음을 신중하게 내딛는 방법 말고는 다른 수가 없었다. 걷는 속도는 이전의 반도 되지 않았고 당연히 걷는 시간은 두 배로 늘어났다. 문득 팀버라인 로지에서 만난 맨발의 하이커가 떠올랐다.

　'한 걸음 한 걸음에 얼마나 신중했을까?

　그리고 그 한 걸음은 얼마나 소중했을까?'

　PCT를 걷기 시작한지 5달이 다 된 지금에서야 한 걸음의 소중함을 깨닫는다. 그동안 이 길에서의 수많은 걸음들을 당연하게 여겼던 스스로를 반성했다. 신중하게 걸음을 내딛지 않은 것에 대한 벌을 받고 있다는 생각도 들었다. 고개 숙여 길과 그 길을 내딛는 발만 바라보게 하는 벌. 앞만 보며 달리지 말고 내게 더 집중했어야 했다며 꼬집는 것만 같았다.

　많은 하이커들이 PCT 워싱턴 구간이 아름답다고들 하지만, 나는 그 아름다움을 온전히 만끽할 여유가 없었다. 털썩 주저앉아 고개를 들었을 때만이 허락된 아름다운 풍경은 좋기도 했지만, 한편으로는 야속하기도 했다. 멀리서 바라보는 이 길은 아름답기 그지없지만, 그 속으로 들어간 나는 들쭉날쭉한 이 길을 원망하고 욕했다.

146일 차 운행 중
길은 그 어느 때보다 예뻤다

'10분만 더 가자'

'5분만 더 가자'

이 악물고 한 걸음 한 걸음 절뚝이며 화이트 패스White Pass에 도착했다. 드디어 주현이가 보내준 소포를 받아볼 수 있었다.

'신민아 보고 힘내용'

신민아 보고 힘내라며 소주 상자로 포장한 그녀의 배려(!?). 지친 몸으로 의자에 반쯤 누운 상태에서도 피식 웃음이 났다. 이런 상황에서도 아직 웃을 힘은 남아있어 다행이다 싶었다. 상자 안에는 형과 나눠먹으라며 챙겨준 식량이 한가득 들어있었는데, 그보다 먼저 눈길이 가는 건 함께 들어있던 편지였다. 그 장문의 편지를 읽으며 나를 생각하고 응원을 해주는 사람이 있다는 생각에 감동받아 괜히 눈시울이 붉어졌다.

147일 차 화이트 패스에서 받은 선물 상자와 편지.
PCT에서 가장 힘들었던 보급이었던 만큼 감동도 컸다.

PCT DAY#148 20150910

난 혼자가 아니었지!!
나를 응원하고 도와주는 많은 사람들이 있어!
그런데도 못 해내면 히맨이 아니지!!

화이트 패스에서 자고 난 다음날. 바로 운행을 재개하는 것은 무리라는 판단에 근처의 마을인 팩우드Packwood로 이동했다. 이곳의 캠핑장 Packwood RV park에서 이틀, 그리고 모텔에서 하루를 보내며 긴 휴식을 가졌다. 급히 교체가 필요한 신발을 주문하고 보급 박스를 마지막 보급지로 보내는 등 급한 일들을 처리했다. 오랜만에 도서관에서 사진 정리도 했다. 그리고 나서는... 아무것도 하고 싶지 않았다.

계속해서 먹고 자고 동영상보고... 한참 걷고 있을 시간에 이러고 있으니 마치 죽어 있는 느낌이었다. 더는 할 일이 없어졌을 때 앞으로 남은 거리가 머릿속에 떠올랐다. 그것은 나를 압박해왔다. 운행을 기록한 엑셀에 적힌 앞으로 남은 거리를 처다봤다. 목표 날짜까지 완주하려면 하루에 얼마나 걸어야 하는지 계산했다. 이전 같으면 충분히 여유롭게 걸을 거리인데도 자신이 없었다. 걸어야 할 길이 뻔히 보이는데도 마음대로 할 수 없다는 사실에 한숨이 절로 나왔다. 바로 눈앞의 목표를 이루지 못 하게 되면서 목표가 사라진 양 방황했다. 서둘러 목표를 재설정해도 모자를 판에 될 대로 되라는 식으로 생각 없이 뒹굴 거리고 있는 스스로가 한심하기도 했다. 정신 안 차리냐며 나를 일으켜 세워줄 누군가가 있으면 참 좋겠다는 생각이 들었다. 하지만 결국 나를 일으켜 줄 사람은 나 자신뿐이라는 걸 뒤늦게 깨달았다. 또 한 가지 분명한 사실이 있었다.

"
내가 걷지 않으면 길은 끝나지 않는다.

 PCT DAY#153 20150915

"기어서라도 포기 않고 완주할 수 있도록 하겠습니다."

아름답고 고통스러운 길.

20150908 PCT 146일 차 13시 32분

WA2270B

각자의 PCT를 위하여 ~3847km(133km)

154~157일 차 : near WA2317C

→ Thunder Creek(14.77 of 41.44km, Goldmyer Alternate)

출발 전 쭈그려 앉아 신발 깔창을 세로로 반으로 잘랐다. 신발의 쿠션이 죽은 부분을 높여 주었는데, 어느 정도 효과가 있는 것 같았다. 덕분에 운행 초반 어제보다 컨디션이 좋아 40km 목표를 달성할 수 있겠다며 기대했다. 하지만 얼마 지나지 않아 통증이 거세게 몰려왔다. 운행 막바지에는 신음을 하며 한 걸음 한 걸음 악기로 내디뎠다. 온 신경이 내 발과 길에만 쏠려있었던 나는 정신이 혼미해지는 느낌까지 받았다. 완주에 대한 걱정과 부담감... 그 외에 다른 생각을 할 수 없었다. 이제 이틀만 버티면 새 신발을 신을 수 있다는 사실이 작게나마 위안을 줄 뿐이었다. 그걸 신는다고 발이 바로 좋아진다는 보장은 없지만...

부상 이후 매일의 목표 운행거리를 채우려면 이전보다 훨씬 긴 시간을 걸어야만 했다. 새벽 일찍 출발하여 쉼 없이 12시간 이상 걸어야 겨우 목표 사이트에 도착할 수 있었다. 그렇다보니 여유 있게 출발해도 되는 형까지 힘들게 갈 필요는 없다는 생각이 들었다. 그동안 형이 내게 맞춰 뒤에서 잘 따라와 주었으나, 이렇게 계속 걸어갈 경우 서로에게 부담이 될 것이 뻔했다. 힘든 상황을 지켜보는 이가 더 힘들 수 있다는 걸 알기에...

"저 먼저 일찍 출발할게요. 좀 더 자고 여유 있게 출발해요"

2시간이나 먼저 짐을 꾸려 출발해도 오후가 되기도 전에 뒤에서 나타난 형은 나를 앞질러 가곤 했다. 따라가고 싶지만 그럴 수 없다는 걸 알기에 내 앞의 길에만 집중했다. 155일 차부터 174일 차까지의 대부분의 운행은 이러했다. 먼저 일어나 조용히 짐을 꾸려 출발하고, 얼마 되지 않아 뒤에서 형이 나타나면 가벼운 안부인사와 함께 떠나보냈다. 캄캄한 밤중에 도착해 형의 텐트에 대고 무사히 살아왔다는 인사와 함께 운행을 마치는 것도 이제는 어색하지 않았다.

156일 차 역시 해가 지고 나서야 목적지인 서밋 인Summit Inn에 도착했다. 나를 보자마자 대뜸 한국인이냐 물어보던 주인아주머니는 한국말로 방을 안내해 주셨다. 아마도 먼저 도착한 형이 내 상태를 미리 알려준 듯 했다. 침대 위에는 REI에서 급히 주문한 새 신발 상자가 놓여 있었다. 드디어 엉망이 되어버린 신발에서 벗어나 통증이 줄어들 수도 있겠다는 기대감에 기뻤다. 얼음을 한 가득 받아 발목에 얼음찜질도 열심히 했다.

다음날, 주인아주머니는 떠나려는 나를 안타까운 눈으로 바라보시며 더 쉬고 가는 게 어떻겠느냐 물어보셨다. 왜 쉬고 싶지 않겠는가. 쉬고 싶은 마음 굴뚝같았지만 내게 허락된 시간이 점점 줄어들고 있다는 것도 알고 있었다. 잠깐이라도 마음을 놓으면 평생 후회할지도 모른다는 생각에 다시 길에 나섰다. 새 신발을 신고 새로운 마음으로 대안 길인 골드미어Goldmyer alternate 트레일에 진입했다.

157일 차 길 위의 선물.
스니커즈가 기둥에 묶인 채 주인을 기다리고 있다.

많은 사람들이 현실을 직시하라고 한다.
내가 보기에 꿈을 이루려는 자는, 이상주의자가 아닌 현실주의자다.
꿈에 다가가려는 순간 현실로 다가온 커다란 장애물에 겁을 먹고
피한 적은 없는가 생각해보기 바란다.
적어도 내가 아는 이상주의자라 불리는 많은 도전자들은 꿈을 위해
온 몸을 던지며 눈앞의 장애물들과 치열하게 싸우는,
지독한 현실주의자들이다.
꿈을 현실로 만드느냐 혹은 그저 꿈으로 간직하느냐…
행동에 달렸다.

- 20150918 PCT 156일 차 다이어리 中 -

도저히 안 될 거 같아요 _{~3944km(68km)}

158~160일 차 : Thunder Creek(14.77 of 41.44km, Goldmyer

Alternate) ➜ WACS2451

골드미어 트레일 후반의 험한 너덜지대는 발을 디딜 때마다 악 소리가 났다. 겨우겨우 한 구간을 통과하면 얼마 가지 않아 다시 나타나는 너덜지대에 절로 한숨이 나왔다. 힘겹게 골드미어를 벗어나 PCT로 돌아왔지만 아직 목표 사이트까지는 한참 남아 있었다. 체력은 바닥났고 해는 이미 기울었다.

'네가 이기나 내가 이기나 한번 해보자'

오기로 악을 써가며 걷기 시작했다. 밤새 내리는 비를 맞아가며 끝없는 어둠속 오르막을 오르고 또 올랐다. 지금까지 그랬듯 이번에도 스스로를 시험해보고 싶었던 것 같다. 악을 쓰며 바로 앞의 한걸음을 내딛는 데만 집중했다. 모든 에너지를 아니 그 이상을 쏟은 내게 내일은 없었다.

밤 10시가 다 되어 도착한 넓은 사이트에서 형을 찾을 수 없었다. 분명 근처에 있을 텐데... 그렇다고 큰 소리를 낼 수는 없었다. 혹시라도 걱정하지 않을까 싶어 길옆에 스틱을 하나 꽂아놓고 나니 몸이 떨려왔다. 운행 종료 보고도 건너뛴 채 서둘러 텐트를 꺼냈다. 여전히 세차게 쏟아지는 폭우 속에서 젖은 텐트를 치고 젖은 침낭 안에 들어갔다. 떨리는 몸을 진정시키려 스토브에 불부터 붙였다. 서둘러 밥에 물을 부어놓은 후에야 운행 종료 영상을 촬영했다.

밤새 몸살로 잠을 설쳤다. 몸과 이를 덜덜 떨며 신음을 질러댔다. 겨우 잠이 드려는 순간 무언가 이마 위로 달려들었다. 깜짝 놀라 눈을 떠

보니 텐트 안을 헤집고 다니는 무언가가 보였다. 나와 눈이 마주친 그것은 쥐였다. 텐트 밖으로 내보내느라 한바탕 난리를 쳤다.

'대체 이게 뭐 하는 짓이냐...'

다음날 아침. 신발을 신고 텐트를 나서는데 단 한 발 내딛기도 고통스러웠다. 몸살까지 나버린 온 몸은 도무지 힘을 낼 수 없었다. 40km 걸으려던 것을 35km로 줄였음에도 도저히 엄두가 나지 않았다. 어느 정도 예상은 했지만 이정도일 줄은 몰랐다. 어제 모든 힘을 다 쏟은 나의 오늘은 정신력조차 남아 있지 않았다. 그동안 육체적 한계를 정신력으로 극복해온 내가 그동안 겪어보지 못한 상황이었다. 정신력마저 바닥난 그야말로 극한의 상황이었다. 한 발 한 발 신음과 함께 내딛으며 한 시간 동안 걸은 거리가 2km가 채 되지 않았다. 아기 걸음마 수준의 속도에 이제 여기서 포기해야 하는 건가 하는 생각에 두려웠다. 걷는 내내 울 것 같은, 그리고 찡그린, 그야말로 질려버린 표정이었다.

결국 나는 8km도 가지 못해 멈추고 말았다.

"형 오늘은 도저히 안 될 거 같아요."

지금까지의 고생과 노력이 헛되이 될 까봐,
그냥 실패자로 비춰질까 두렵기도 하다.

하루하루가 살아남기 위한 투쟁이었다.
'오늘 하루는 살 수 있을까?'
마치 전쟁 같다. 삶도 마찬가지일까??
내일은 좀 더 나은 하루가 되길 간절히 바란다.
꼭 성공해서 떳떳하게 말하고 싶다.

- 20150921 PCT 159일 차 다이어리 中 -

여기서 그만 둘까?~3998km(54km)

161~165일 차 : WACS2451 ➜ WACS2484

'이제 돌아가면 뭐하지?'

신들의 다리에서 마치 다 끝내기라도 한 듯 쓸데없는 생각을 한 것에 대한 후회가 들었다. 그 자만심에 대한 벌인 것 같기도 해서... 그래도 그간의 노력을 가상히 보았는지 조금씩 나를 받아주기 시작하는가 싶었지만 이번에도 역시 착각이었다. 새로운 통증이 더해져 그랬나보다. 어느 순간부터 이상하게 손발에 전기가 오는 것 같은 찌릿함이 느껴졌다.

정말 오랜만에 한낮에 운행을 마치고 스카이코미쉬Skykomish의 모텔에 도착했다. 침대에 앉아 양말을 벗었다. 통통 부어 오른 발목은 이제 더는 낯설지 않았다. 하지만 이번엔 피멍이 든 듯 파랗게 변해버린 발목이 눈에 들어왔다. 부상 이후 2주간 매일 많게는 매 끼니마다 진통제를 복용해왔는데, 아마도 진통제 부작용인 듯했다. 손발에 느껴진 찌릿함도 아마 그 때문인 것 같았다. 뜻하지 않게 온라인을 타고 나의 부상소식이 여기저기 퍼졌다. 수많은 추측과 병명들이 등장했고 부정적인 이야기들이 들리기 시작했다. 어느 정도 신빙성 있어 보이는 진단에 조금씩 겁이 나기 시작했다. 그리고 처음으로 진지하게 '포기'라는 단어를 떠올렸다.

「 나 영영 발 못 쓰고 그렇게 되는 건가? 여기서 그만 둘까?

일단 병원부터 가서 검사 받고 결과에 따를까?

캐나다 쪽 병원에 있다가 다시 들어오면 다시 이어할 수도 있을까?

내년에 다시 와서 이어할까?

지금 포인트 어딘가에 내 PCT 목걸이를 묻고 … 」

PCT를 320km 남긴 상황에서 이런 고민을 하고 있자니, 살면서 이보다 더 괴로운 순간이 있었을까 싶다. 피곤함과 온 몸의 열로 인해 일찍 잠을 청해 보지만 쉬이 잠들 수 없는 밤이었다. 매일 빠짐없이 남기던 영상 다이어리조차 기록할 힘도 의욕도 없었다. 그저 침대에 돌아누워 있을 뿐이었다.

아파서인지 슬퍼서인지, 아니면 스스로가 불쌍한 건지...

그냥 눈물이 줄줄 흘렀다.

생각했다.

"
지금 이 눈물 헛되지 않길 …

여지없이 날은 밝았고 나는 결정을 했다. 스스로 도저히 포기를 허락할 수 없었다. 많은 분들의 응원과 기대를 저버릴 수도 없었다. 어떻게 해서든 끝까지 가기로 결심한 나는 형에게 양해를 구하고 체류기간을 꽉 채워 국경을 넘어가자 했다. 그동안 PCT를 빨리 끝내기 위해 형을 재촉하고 또 재촉했던 나였다. 형에게 정말 미안했다.

다시 길에 나섰다. 이틀을 아무것도 하지 않고 쉬었지만 역시나 통증은 금세 나를 찾아왔다. 다시 속도를 줄일 수밖에 없었다. 이제 길의 끝까지 300km, 그리고 비자 만료까지는 10일 남짓 남았다. 끝이 눈에 보이는데도 확신이 서지 않는다. 과연 버텨낼 수 있을 것인가에 대해서... 매일 아침이면 오늘이 마지막인 듯 최선을 다 해보자는 각오로 걸어 나가기 시작한다. 하지만 이내 절뚝이는 내 모습에 우울함이 찾아온다.

소리를 지르면 좀 나을까?

"아~답답해!!!"

아침이 두려웠다 ~4115km(117km)

166~169일 차 : WACS2484 ➔ WACS2557

미국에 체류할 수 있는 날이 얼마 남지 않았기에 지금의 속도로는 스터헤킨Stehekin에서의 마지막 보급이 불가능했다. 결국 형이 먼저 앞질러 가 스터헤킨에서 보급 상자를 받아 오기로 했다. 4일 뒤 스터헤킨으로 향하는 버스정류장이 있는 하이 브리지High Bridge에서 다시 만나기로 약속하고 헤어졌다. 온전히 혼자만의 운행이 시작되었다.

하루하루 해야 할 일로 가득한 일상처럼 빡빡하게 돌아갔다. 한 시간 걷고 10분 휴식을 반복했다. 시계를 쳐다보며 쉬는 시간 10분을 철저하게 지키려 노력했다. 문득 50분 수업 10분 휴식의 반복 속에 살았던 학창시절이 떠올랐다. 점심을 먹으며 여유를 즐기는 다른 하이커들이 어찌나 부럽던지... 쉴 틈을 주고 싶지만 쉬게 되면 아무것도 보이지 않는 어둠 속을 걸어야 했기에 어쩔 수 없이 스스로를 채찍질했다. 비자 만료일인 10월 7일을 디데이로 잡고 하루하루 체크해 나갔다. 힘이 들 때면 '일주일만 더 걸으면 끝난다, 5일만 더 걸으면 끝난다.'하며 스스로를 달랬다. 마치 방학을 기다리는 아이같이.

어느 순간부터 나는 아침을 두려워하기 시작했다. 매일 아침식사 메뉴인 또띠아와 시리얼을 빨리 먹고 싶어 항상 날이 밝기를 기다렸던 나였다. 하지만 지금은 해가 뜨면 다시 신음하며 걸어야 한다는 생각에 아침이 오는 것이 두렵다. 매일 아침 내딛는 첫 발이 가장 고통스러웠다.

통증을 잊기 위해서 뭐라도 생각하지 않으면 안됐다. 어떤 날은 온통 기내식 생각으로 가득했다. 컵라면을 시켜 먹고, 맥주랑 땅콩을 먹으며 영화 봐야겠다고 다짐했다. 빵이랑 우유 생각도 간절해 비행기 탈 때 도넛을 한 박스 사서 타야겠다는 생각으로 번져 하루 종일 도넛 먹는 상상을 하며 힘든 운행을 버텼다.

빨간 버스 ~4143km(28km)

170일 차 : WACS2557 ➜ WACS2574

20km를 힘겹게 걸어 스터헤킨으로 향하는 진입로인 하이브리지High Bridge에 다다랐다. 300미터 전 게시판에 붙은 형의 메모를 읽고 만나기로 약속한 버스 정류장까지 이동했다. 정류장 옆의 게시판에는 마을로

가는 유일한 방법인 셔틀버스의 시간표가 붙어있었다. 형이 남긴 메시지가 없는 걸로 봐서 마을에서 아직 복귀하지 않은 것 같았다. 40분 뒤에 도착할 다음 버스를 기다리며 쉬기로 했다. 오늘 만나기로는 했지만 시간 약속은 따로 하지 않았기에 불안했다. 만약 이번에 오는 버스에 형이 없다면 그 버스를 타고 일단 마을로 향해 식량을 보충해야만 했다. 하지만 그마저도 전 재산 12달러로는 왕복버스비를 낼 수 없었기에 걱정이었다.

'일단 편도로 가서 돈을 구걸하든지 해야지 뭐...'

그때 빨간 버스가 들어왔다. 빨간 버스 안의 빨간 재킷을 입은 낯익은 사람이 손을 흔들어 보였다. 나도 반가움에 손을 흔들었다! 완벽한 타이밍에 형을 만나 정말 다행이었다. 형의 손에 들린 봉지 안에는 빵과 우유가 있었다. 오랜만의 푸짐한 점심을 맛나게 잘 먹고 노스 캐스케이드 국립공원North Cascade NP에 진입했다. 사이트에 도착하자마자 제로그램에서 우리를 위해 베어박스bear box에 넣어두었다는 막걸리와 라면 그리고 응원의 메시지가 적힌 티셔츠를 찾아 헤맸다. 형이 여기저기 뒤져봤지만 누군가가 들고 갔는지 찾을 수 없어 아쉬운 밤이었다.

170일 차 14시 43분 스터헤킨에서 돌아온 양희종
선물을 사왔다

170일 차. 노스 캐스케이드 국립공원으로 진입한다.

아~열받아!!~4200km(57km)

171~172일 차 : WACS2574 ➡ CS2610

형은 노스 캐스케이드의 메이플 크릭Maple Creek에 멈춰 쉬고 있던 나를 앞질러 갔다. 이후 형을 볼 수 없었다. 약속한 사이트에 없기에 사이트가 좁아서 근처 다른 곳에 자리 잡았겠거니 생각하다 문득 2km 전에 있었던 레이니 패스 도로가 떠올랐다.

'설마 마을로 가진 않았겠지?'

충분히 그럴 수 있겠다는 결론에 도달했다. 금방 돌아오겠지 대수롭지 않게 생각하며 계속해서 걸어 나갔다. 하지만 마을을 들렀다가 온다 해도 분명 나를 지나치고도 남을 시간인데 형은 나타나지 않았다. 시간이 흐를수록 좋지 않은 생각으로 번졌다. 불쑥 레이니 패스에서 사고라도 났나 하는 불안감이 찾아왔다. 그리고 그 불안감은 형의 행동에 대한 화로 바뀌었다. 그렇게 하이브리지에서 만난 지 하루 만에 다시 사라진 형을 걱정하고 화내기를 반복하며 걸어 나갔다. 내가 할 수 있는 거라곤 걸으며 습관처럼 뒤를 돌아보는 것뿐이었다.

마지막 트레일 매직 ~4229km(29km)

173일 차 : CS2610 ➜ CS2628

제대로 된 보급을 받지 못한 지 10일이 넘어가자 식량은 바닥을 드러냈다. 하루하루 남은 식량을 계산하며 먹는 양을 조절했음에도 마지막 이틀은 굶어야 할지도 모르는 상황이 되었다.

'걱정거리가 하나 더 늘었구나.'

그런데 전혀 예상치 못한 곳에서 트레일 매직이 나타났다. 직접 구운 소시지가 들어간 따뜻한 핫도그와 감자를 정신없이 먹어치웠다. 식량이 없다고 하니 기꺼이 남은 식량을 내어 준 트레일 엔젤 덕분에 끼니 걱정을 내려놓을 수 있었다. 하츠 패스 Harts Pass는 PCT 구간 중 차량 진입이 가능한 마지막 지점이다. 그렇게 PCT에서의 마지막 트레일 매직을 즐기며 정말 오랜만에 한 시간의 휴식시간을 가졌다. 이 얼마만의 10분이 넘는 휴식시간인가!

PCT 172일 차 캐스케이드 산맥

재회, 그리고 마지막 밤 ~4259km(30km)

174일 차 : CS2628 → Castle Pass

'오늘은 만날 수 있을까? 무사히 잘 있는 거겠지?'

이제 미국에 머물 수 있는 나의 시간은 오늘과 내일 뿐이었다. 그전에 형을 꼭 만나기를 간절히 바라며 길을 나섰다. 하지만 오늘도 역시 형은 나타날 생각을 하지 않는다. 이제 오늘 운행도 얼마 남지 않았다.

거의 포기한 심정으로 오늘도 습관적으로 뒤를 돌아보았다. 그때 멀리서 빨간 재킷을 입은 하이커가 보였다. 형이었다. 큰 소리로 불렀지만 들리지 않는 모양이었다. 안도의 한숨을 쉬었지만 동시에 화도 극에 달했다. 그런 상황에서도 기록을 남기겠다며 카메라의 셔터를 눌러두었다.

"히맨!"

뒤에서 형의 목소리가 들렸다. 그 소리가 그다지 달갑지 않았던 나는 모르는 채 걸어가다 한참 뒤에야 뒤돌아봤다.

"이틀간 진짜 별 생각 다 한 거 알아요?!"

"열받아가지고 진짜 형이고 뭐고 한 대 칠 뻔했어!"

일부러 나를 앞지르지 않고 뒤에서 몰래 지켜보며 따라왔다는 말에, PCT 기간 중 처음으로 가장 크게 형에게 화를 냈다. 혼자만의 정리 시간이 필요했다는 말이 이해가 되지 않는 것은 아니었지만, 확실히 알리지 않은 것에 대한 아쉬움이 컸다. 뭐 어쩌겠는가. 그래도 PCT를 끝내기 전에 무사히 다시 만나 참 다행이었다. 그렇게 PCT에서의 마지막 사이트 캐슬 패스Castle Pass에 함께 도착했다. 이제 미국과 캐나다의 국경까지 6km밖에 남지 않았다.

PCT에서의 마지막 밤을 보내는 텐트 안. PCT의 끝이 손에 잡힐 듯 가까이 느껴진 나는 웃음이 나왔다. 어떤 일이 있더라도 기어서라도 꼭 완주하겠다고 수시로 다짐하기는 했지만, '정말 그렇게 할 수 밖에 상황이 오면 어떡하지?'하는 걱정으로 하루하루를 보낸 것이 사실이었다.

'어떤 일이 있어도 이제 하루면 충분하지!'

6km를 남겨둔 지금은 정말 기어서라도 가면 완주할 수 있겠다는 생각에 진심으로 기뻤다.

174일 차 PCT 마지막 밤.

네가 자랑스러워, 히맨!~4279km(20km)

175일 차 : Castle Pass ➜ Monument78 ➜ Manning Park Lodge

"175일 차. PCT 마지막 날입니다!"

방전된 아이폰 대신에 손바닥에 출발시간을 적었다. 날씨는 별로였지만 마지막이라는 생각에 힘이 났는지 생각보다 6km가 짧게 느껴졌다. 어느새 나무들 사이로 PCT 최북단 포스트PCT Northern Terminus가 보이기 시작했다.

"다왔다! 다왔다! 다왔다!"

PCT 최북단 포스트 앞에 섰다. 가장 먼저 든 생각.

'내가 이걸 보려고 지금껏 이 개고생을 한 건가?'

허무함에 잠시 멍하니 포스트를 바라보았다. 그 동안의 고생으로 펑펑 울 줄 알았건만 그런 감정은 없었다. 오히려 바로 이전 일주일간의 감정이 더욱 컸던 것 같다. 하지만 큰 짐을 내려놓은 듯 후련한 마음만은 확실했다. 무언가 대단한 영상을 찍고 싶었지만 방전된 카메라는 머뭇거리는 나의 멘트를 뚝 끊어버렸다.

'뭐라고 쓰지?'

방명록을 쓰려 펜을 집어 들었다. 얼어버린 손. 그제야 그동안의 고생이 떠올랐다. 특히 생애 그 어느 때보다 치열했던 이 길에서의 마지막한 달이... 나는 그 치열했던 나에게 진심으로 고마웠다.

기념 촬영 후 다시 배낭을 메고 두 발로 국경을 넘어 캐나다 땅을 밟았다. 이제 PCT의 끝까지 남은 거리는 14km. 그 끝에 있을 매닝 파크를 향해 걷기 시작했다. 그 순간 드디어 해냈다는 생각에 스스로가 너무도 자랑스러웠다. 당당하게 앞을 보고 느리지만 힘차게 걷기 시작했다.

175일 차 모뉴먼트 78 옆의 안내판.
이제부터는 캐나다를 걷게 된다.

> **“**
> 축하해요! 멋져요!

캐나다 등산객들의 축하인사와 트레일 곳곳에 보이는 PCT 완주 축하 메시지들이 나를 웃게 했다. 4km, 3km 남았다는, 더는 마일$_{mile}$이 아닌 미터$_{meter}$ 단위로 바뀐 안내판들도 반가웠다. 발은 여전히 아팠지만 이제 문제될 것은 없었다.

드디어 매닝 파크 표지판을 만났다. 더는 북쪽으로 걸어갈 길이 없었다. 도로 위에서 만난 한 아주머니는 어디서 오는 길이냐 물었다.

"멕시코 국경에서 왔어요!"

이렇게 당당하게 말할 수 있었다. '정말 내가 해냈구나!'

형은 매닝 파크 로지에 먼저 도착해 쉬고 있었다.

나는 형에게 손을 들어보였다.

하이파이브!

그렇게 PCT 하이커 히맨의 175일은 끝이 났다.

20151007 PCT. 175일 차 14시 46분
매닝파크

「 I did it!!

    (해냈어!!)

희남아 정말 고생 많았다!

고마워~ 포기 않고 끝까지 와줘서.

앞으로도 잘 부탁한다.

항상 가슴 뛰는,

네가 살아있음을 느낄 수 있는 일을 하길!

                         2015.10.7. 10:06 」

- 20151007 175일 차 PCT 마지막 방명록 -

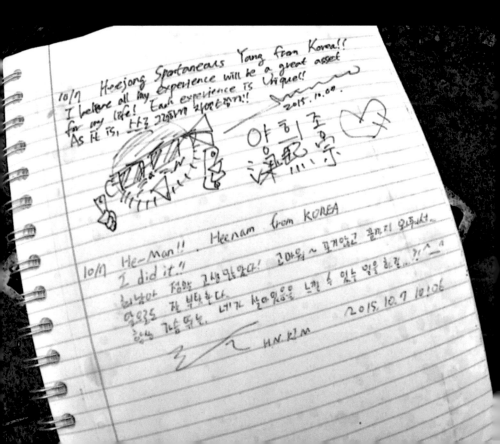

PCT 175일 차 09시 42분
모뉴먼트78 with He-Man
photo by 양희종

PCT 워싱턴 보급지&랜드마크

 ## 트라우트 레이크 (Trout Lake, 3583.0+22.2)

트라우트 레이크는 PCT에서 약 22km 떨어진 작은 마을이다. 주유소 옆의 식당에서는 다양한 햄버거를 먹을 수 있는데 맛이 좋은 편이다. 바로 옆의 잔디밭에서는 많은 PCT 하이커들이 젖은 텐트와 옷을 말리거나 누워 낮잠을 즐기는 등 개인정비를 자유롭게 할 수 있다.

상점에서 운영하는 숙박시설에서 머물 수도 있으며, 그 외의 숙박 정보를 포함한 다양한 정보를 상점에서 얻을 수 있다. 절과 함께 운영되는 트라우트 레이크 에비 호스텔Trout Lake Abbey을 추천한다. 아름다운 연못 정원과 풍경소리가 어우러져 신비로운 느낌을 준다. 주변을 산책하다보면 마음이 한결 편안해지는 그런 곳이다.

주말에는 열지 않고 운영시간이 짧은 우체국보다 매일 운영되는 상점으로 보급 상자를 발송하는 것이 좋다. 상점에서 식량 구매 전 꼭 먼저 상점 내의 하이커 박스에 필요한 물건이 있는지 확인하기 바란다.

 - Trout Lake PO :
  c/o General Delivery Trout Lake, WA 98650
- The Trout Lake Grocery :
  c/o Trout Lake Grocery PO Box 132 Trout Lake, WA 98650

• 트라우트 레이크 에비 호스텔 홈페이지**

last check : 2017/4/14

트라우트 레이크의 식당 옆 잔디밭(위)
트라우트 레이크 에비 호스텔(아래)

보급 22 : 화이트 패스 (White Pass, 3689.3+0.8)

화이트 패스는 PCT에서 약 800미터 떨어진 아주 작은 스키 리조트이다. 상점에서 보급 상자수령이 가능하며 간단한 음식들을 먹을 수 있다. 상점 앞에는 주유소가 있으며 언덕 위로 숙박시설이 있다. 숙박비가 저렴하지 않으므로 예비일을 가질 계획이라면 근처의 마을인 팩우드로 이동할 것을 권한다.

주소 : c/o White Pass Rural Branch PO at the Kracker Barrel Store 48851 US Highway 12 Naches, WA 98937

- 화이트패스 스토어_{Kracker Barrel Store} 관련 정보**

last check : 2017/12/04

 ## 팩우드 (Packwood, 3689.3+33.0)

팩우드는 화이트 패스로 향하는 도로_{Hwy 12}에서 약 33km 떨어진 작은 마을이다. 아이딜와일드와 비슷한 느낌의 아기자기하고 알록달록한 카페와 식당들을 볼 수 있다. 가까운 곳에 도서관 및 마트가 위치하고 있어 이곳에 머물며 얼마 남지 않은 운행을 준비하기 좋다.

팩우드 캠핑장은 급수는 물론 사이트에서 전기와 와이파이도 이용이 가능하다. 무엇보다 저렴한 이용료가 매력적이다.

주소 : c/o General Delivery Packwood, WA 98361

- 팩우드 홈페이지**
- 팩우드 RV 캠핑장**
- 호텔 팩우드 홈페이지**

last check : 2017/4/14

팩우드 RV 캠핑장

보급 23 : 스노퀼미 패스 (Snoqualmie Pass, 3847.3+0.5)

작은 스키장을 거쳐 만나는 스노퀼미 패스의 도로변으로 식당과 마트, 모텔 등이 위치하고 있다. 한국인이 식당과 함께 운영하는 서밋 인Summit Inn의 프런트에서는 꽤 많은 하이커 박스를 볼 수 있다. 이곳에서는 PCT 보급 상자도 받아 주는데, 숙박을 하지 않을 경우에는 보급 상자 수령 시 15달러의 수수료가 있다. 우체국은 바로 옆의 주유소 마트Chevron station 안에 위치하고 있다. 하지만 다른 우체국과 달리 운영시간이 매우 제한적이며 우편물 보관 장소가 따로 없어 직원이 다른 우체국에서 가져와야 하는 등의 불편함이 있다.(따라서 도착예정일ETA을 적어야 한다. 상세 내용은 링크 참조)

서밋 인 앞에 위치한 푸드트럭에서는 김치찌개와 매우 흡사한 김치 스프를 판매하니 꼭 먹어보길.

- Snoqualmie Pass PO :
  Expected Time of Arrival (month/day/year)
  c/o General Delivery Snoqualmie Pass, WA 98068
- Summit Inn :
  c/o Summit Inn 603 State Route 906 Snoqualmie Pass,
  WA 98068

- 서밋 인Summit Inn 홈페이지**
- 스노퀼미 패스 우체국 정보**

———————————————————————— last check : 2017/12/30

![스노퀼미 패스의 서밋 인 앞에 위치한 푸드트럭]

스노퀼미 패스의 서밋 인 앞에 위치한 푸드트럭

📍 골드미어 트레일 (Goldmyer Alternate, 3903.0+41.4)

골드미어는 41.44km의 장거리 PCT 대안길이다. 길이 좁은 초반 구간에는 많은 등산객들로 붐빈다. 여유가 있다면 근처에 위치한 온천에 들러보는 것도 좋겠다.(예약이 필요하며 상세 정보는 링크 참조) 캐나다로 향하는 NOBO 하이커의 경우 시기 상 풀과 나무들이 울긋불긋 물들기 시작하는데, 지금껏 보지 못한 화려한 트레일의 모습을 볼 수 있다. 높은 곳에서 내려다 볼 수 있는 커다란 호수가 매우 아름다우며, 무엇보다 PCT 하이커들이 가장 선호하는 시원한 계곡 옆 사이트가 많다. 후반 구간에는 험한 너덜지대가 많으며, 폭포를 지날 때는 미끄러울 수 있으므로 각별히 주의할 것.

- 골드미어 핫 스프링스 홈페이지[**]

last check : 2017/4/14

골드 미어 트레일

스카이코미쉬 (Skykomish, 3961.6+25.7)

스카이코미쉬 강변에 위치한 작은 마을이다. 아기자기한 건물들과 깔끔한 거리가 인상적이다. 마을의 유일한 모텔인 캐스캐디아 인Cascadia Inn은 식당과 함께 운영된다. 이곳에서 PCT에서 가장 큰 햄버거를 즐길 수도 있을 것이다. 우체국은 물론 작은 마트와 식당 등이 위치하고 있어 충분한 보급이 가능하다.

 : c/o General Delivery Skykomish, WA 98288

- 스카이코미쉬 홈페이지**
- 캐스캐디아 인 홈페이지**

last check : 2017/12/04

보급 24 : 스터헤킨 (Stehekin, 4135.0+17.7)

작은 커뮤니티인 스터헤킨은 PCT 하이커들의 주요 보급지 중 사실상 마지막 보급지라고 할 수 있다. 이곳의 우체국에서 보급을 받을 수 있다. 히맨은 부상 이후 촉박해진 일정으로 인해 들리지 못 했다.

PCT 운행 중 만나게 되는 하이 브리지$_{4135.08km}$에서 버스를 타고 갈 수 있다. 편도 요금 8달러의 빨간색 셔틀버스는 하루에 4번 운행되며 10월부터는 운행 횟수가 줄어드니 참고할 것.

 : c/o General Delivery Stehekin, WA 98852

- 스터헤킨 홈페이지**
- 스터헤킨 셔틀 버스 요금 안내 페이지**
- 스터헤킨 셔틀 버스 시간표**

———————————————————————— last check : 2017/4/14

 ## 모뉴먼트 78 (Monument78, 4264.9+0.0)

미국과 캐나다의 국경인 모뉴먼트 78은 사실상 PCT의 종료를 알리는 랜드마크이다. PCT 하이커들은 이곳에서 PCT를 완주한 것을 자축한다. 어떤 하이커들은 단체로 춤을 추는 등 다양한 방법으로 완주의 기쁨을 표현한다. 방명록에 자신의 소감을 표현해 보는 것도 좋겠다.

모뉴먼트 78에서 바로 PCT를 벗어날 수 있는 것은 아니다. 국경을 넘어 PCT가 완전히 끝나는 매닝 파크까지 14km를 걸어 이동하거나, 왔던 길을 되돌아 가장 가까운 도로인 하츠 패스까지 돌아가 탈출하는 두 가지 방법이 있다.

모뉴먼트78 이후에는 PCT 표식을 찾아보기 힘들고 갈림길들이 있어

PCT 애플리케이션을 이용하여 길을 찾을 것을 추천한다. PCT를 통해 캐나다 국경을 넘어가는 것에 대한 안내는 변동 사항이 있을 수 있으므로 꼭 최신의 정보를 확인할 것.

- 모뉴먼트 78 소개_What is Monument 78?_**
- 캐나다 국경 퍼밋 안내 페이지_Canada Border Services Agency permit_**

———————————————————————————— last check : 2017/12/30

매닝 파크 (Manning Park/Hwy 3, 4279.1+0.0)

PCT의 끝. 모뉴먼트78에서 캐나다로 넘어가 14km를 더 걸어가면 매닝 파크 표지판이 세워진 도로_Hwy3_를 만나게 된다. 약 4300km 길이의 PCT 여정이 끝나는 순간이다. 도로를 따라 내려가면 매닝 파크 로지_Manning Park Lodge/Resort_를 만날 수 있다. PCT 하이커들에게 샤워시설을 무료 제공한다고 하니 참고할 것. 또한 이곳에서 캐나다 밴쿠버_Vancouver_로 향하는 그레이하운드_Greyhound_ 버스를 탈 수도 있다.

 : 7500 Hwy #3, Manning Park, BC V0X 1R0
/ 1-800-330-3321

- 매닝 파크 리조트 홈페이지**

———————————————————————————— last check : 2017/4/14

참고문헌Reference

■ PCT 하이커 되기

- PCT 협회

https://www.pcta.org/**

- halfwayanywhere

https://www.halfwayanywhere.com/**

- Halfmile's PCT Maps

https://www.halfwayanywhere.com/**

- 미국 비자 신청

http://www.ustraveldocs.com/kr_kr/index.html?firstTime=No**

- PCT 용어 : Pacific Crest Trail Hiker's Glossary

http://scottbryce.com/pct/glossary.html**

- PCT 지도 약어

: Halfmile's PCT Maps : Waypoint Abbreviations

https://www.pctmap.net/2015/02/waypoint-abbreviations/**

■ 히맨의 PCT 보급지&랜드마크

- Plan your hike

https://planyourhike.com/planning/resupply-points/**

- Halfmile's PCT Maps

https://www.pctmap.net/wp-content/uploads/pct/halfmiles_pct_notes_resupply.pdf**

- As The Crow Flies : PCT town guide

http://asthecrowflies.org/pctpacific-crest-trail-town-guide/**

■ 이미지 및 아이콘

- PCT 워터리포트 캡처 이미지

https://overlandundersea.com/travel-blog/cheryl-strayed-wild/[**]

- Granite Gear Crown V.C. 60 배낭

https://www.granitegear.com/crown-v-c-60.html[**]

- 제로그램 PCT UL2 텐트

http://www.zerogram.co.kr/shop/pct-ul-2-tent/#comment-20988[**]

- 캠핑박스 울트라라이트 드라이색12L

http://campingbox.co.kr/shop/goods/goods_view.php?goodsno=321[**]

- 아이콘 이미지 : flaticon.com[**]

Icons made by Freepik from www.flaticon.com is licensed by CC 3.0 BY

Icons made by Roundicons from www.flaticon.com is licensed by CC 3.0 BY

Icons made by Smashicons from www.flaticon.com is licensed by CC 3.0 BY

Icons made by Vectors Market from www.flaticon.com is licensed by CC 3.0 BY

Icons made by Gregor Cresnar from www.flaticon.com is licensed by CC 3.0 BY

Icons made by Swifticons from www.flaticon.com is licensed by CC 3.0 BY

길은 끝나지 않았다

'이제 집에 가야할 시간인가?'

슬슬 눈치가 보인다. 아쉬웠다. 나의 작업실 아니 단골 카페는 24시간이 아닌 것이 항상 아쉬웠다. 가끔은 필 feel 을 받아 늦은 시간까지 작업을 하고 싶을 때가 있는데...

이곳에서 마무리하고 싶었다.

2015년 초 추운 겨울. 매일 아메리카노 한 잔에 지정석처럼 되어버린 구석 자리에 앉아 7~8시간씩 PCT를 준비했던 이곳. 다리가 시려서 패딩을 무릎에 덮고 바나나 혹은 보충제를 밥 대신 먹어가며 보급지 정보를 찾아 헤맸다. 불안한 마음으로 제안서를 쓰고 비자인터뷰를 준비하던 이곳.

내가 그 길에서 했던 행동과 말을 되새기며 영상을 자르고 자막을 달던 이곳. 다녀와서도 똑같이 이곳에 앉아 이러고 있는 나를 보면서 '달라진 건 없구나.' 깨달으며 피식 혹은 한숨을 내뱉던...

나를 만나겠다며 먼 곳에서 찾아주시는 예비 하이커 분들의 이야기도 있었다. 그리고 자신만의 길을 걷고 돌아온 하이커들과의 이야기들로 가득했던 이곳. 이곳에서 PCT 두 번째 목표의 끝을 맺고 싶었다.

비단 히맨 뿐만이 아닐 것이다. 이 길을 간절히 준비하는 모든 예비 하이커들, 그리고 멋지게 그 길을 걷고 돌아온 멋진 하이커들...
모두 각자의 길에 최선을 다했을 것이다.

「 6개월이나 걷다보면 뭔가 대단한 게 떠오르지 않을까?
앞으로 뭘 먹고 뭘 하며 살아야 할지 같은 거 말이야···
그래, 인생의 정답 같은 거 있잖아. 」

그런 건 없었다. 힘겨운 준비과정 끝에 출발선에 섰을 때도, 그리고 절뚝이며 그 마지막에 섰을 때도 나는 실감하지 못했다. 그저 있는 그대로의 내가 있을 뿐이었다. 그 길에서 나는 울고 웃었고, 화를 냈다. 억울함에 하늘을 원망하다가도 이내 다시 각오를 다지고 또 다졌다. 내가 걷지 않으면 이 길은 끝나지 않았기에...
생각이 바뀌기는커녕 지금껏 추구해오던 가치와 신념은 더욱 견고해졌다. 이 길이 남과 다를 뿐 틀리지 않았다는 확신도 갖게 했다.

2년 넘게 그 걸음을 되돌아보면서 나는 다시 그 길을 걷고 또 걸었다. 울고 웃었다. 고통스러워하는 내 모습을 보면서 같이 찡그렸고, 갑자기 진지해진 얼굴로 멋진 멘트를 날리는 나를 보며 감탄했다. 무엇보다 살면서 가장 치열하게 목표를 위해 온 몸과 마음을 다한 스스로가 대견했다. 자랑스럽고 사랑스러웠다. 끝까지 포기하지 않고 소중한 걸음들을 선물해준 히맨에게, 나의 모든 진심을 다해 고마움을 전한다.

「 어떠한 결론도 정답도 찾지 못 한 답 없는 너지만,

　 답이 없는 네가 좋다.

　 어떤 것도 채워 넣을 수 있으니까. 」

141일 차. 고통에 신음하게 되기 하루 전의 일기다. 바로 다음날부터 절뚝이며 이 길을 걷게 되었고, 치열하게 걷는 스스로를 보면서 깨달은 것이 하나 있다.

'나를 감동시키다.'

삶의 끝에서 나를 되돌아봤을 때 스스로의 모습에 감동 받는 것보다 행복한 삶이 있을까. 내가 나를 감동시키는 가장 간단하면서도 어려운 방법은 꾸준히 걸어가는 일이다. PCT는 인생에 비하면 그저 작은 하나의 갈림 길이라고 할 수 있을까? 앞으로 수많은 길이 펼쳐질 것이다. 나는 나를 감동시키기 위해 최선을 다할 것이다.

　당신은 지금 어떤 길에 서 있는가?

　그 길 위의 스스로가 감동적이었으면 한다.

　그리고 행복하길... 해피 트레일!

2018년 1월 4일 17시 10분

Loft71 에서...

히맨.

20180104_17:33@loft71_2F

서로 다른 길을 함께 걸은 스폰테니어스, 양희종에게 고맙습니다.
나만 기다린 줄 알았는데 형이 더 많이 기다렸네요.
앞으로의 길을 응원합니다.

언제나 나를 믿어주는 부모님께 고맙습니다.
어떠한 역경에도 절대 포기 않을 것을 약속합니다.

언제나 내게 동기와 영감을 주는,
지친 마음을 달래고 포기하지 않을 힘을 준,
Specially thanks to 'Nell'

작은 불씨 하나라도

이 어둠을 밝혀준다면

난 그걸로 돼

Nell - 숲